WOW!

LE CORPS HUMAIN

DK

Un livre Dorling Kindersley
www.dk.com

Ce livre a été publié pour la première fois en 2010,
par Dorling Kindersley Limited sous le titre de *WOW! HUMAN BODY*

POUR L'ÉDITION ORIGINALE :

Pour Tall Tree Ltd

Éditeurs Neil Kelly, Claudia Martin et Jon Richards
Maquettistes Ben Ruocco et Ed Simkins

Pour Dorling Kindersley

Responsable éditorial Carron Brown
Retouche photographique Steve Willis
Iconographe Ria Jones
Photographie sur commande Stefan Podhorodecki

Directrice éditoriale Linda Esposito
Directrice artistique Diane Thistlethwaite
Responsable éditorial Andrew Macintyre
Directrice de collection Laura Buller

Auteur Richard Walker

Copyright © 2010, Dorling Kindersley Limited

POUR L'ÉDITION FRANÇAISE :

Responsable éditorial Thomas Dartige
Édition Éric Pierrat
Édition et PAO Bruno Porlier
Traduction Bruno Porlier
Correction Nathalie Porlier et Olivier Babarit

Copyright © 2010, Gallimard Jeunesse, Paris

POUR L'ÉDITION FRANÇAISE AU CANADA :

Copyright © 2010, ERPI

On ne peut reproduire aucun extrait de ce livre sous
quelque forme ou par quelque procédé que ce soit –
sur machine électronique, mécanique, à photocopier
ou à enregistrer, ou autrement – sans avoir obtenu au
préalable la permission écrite de l'éditeur.

5757, rue Cypihot, Saint-Laurent
(Québec) Canada H4S 1R3

Dépôt légal - Bibliothèque et Archives nationales du Québec, 2010
Dépôt légal - Bibliothèque et Archives Canada, 2010

ISBN 978-2-7613-4007-6
K 40076

Imprimé en Chine
Édition vendue exclusivement au Canada

WOW!
LE CORPS HUMAIN

ERPI

Auteur :
Richard Walker

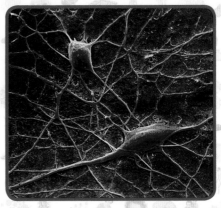

1

Les structures du corps

2

Le corps en action

Sommaire

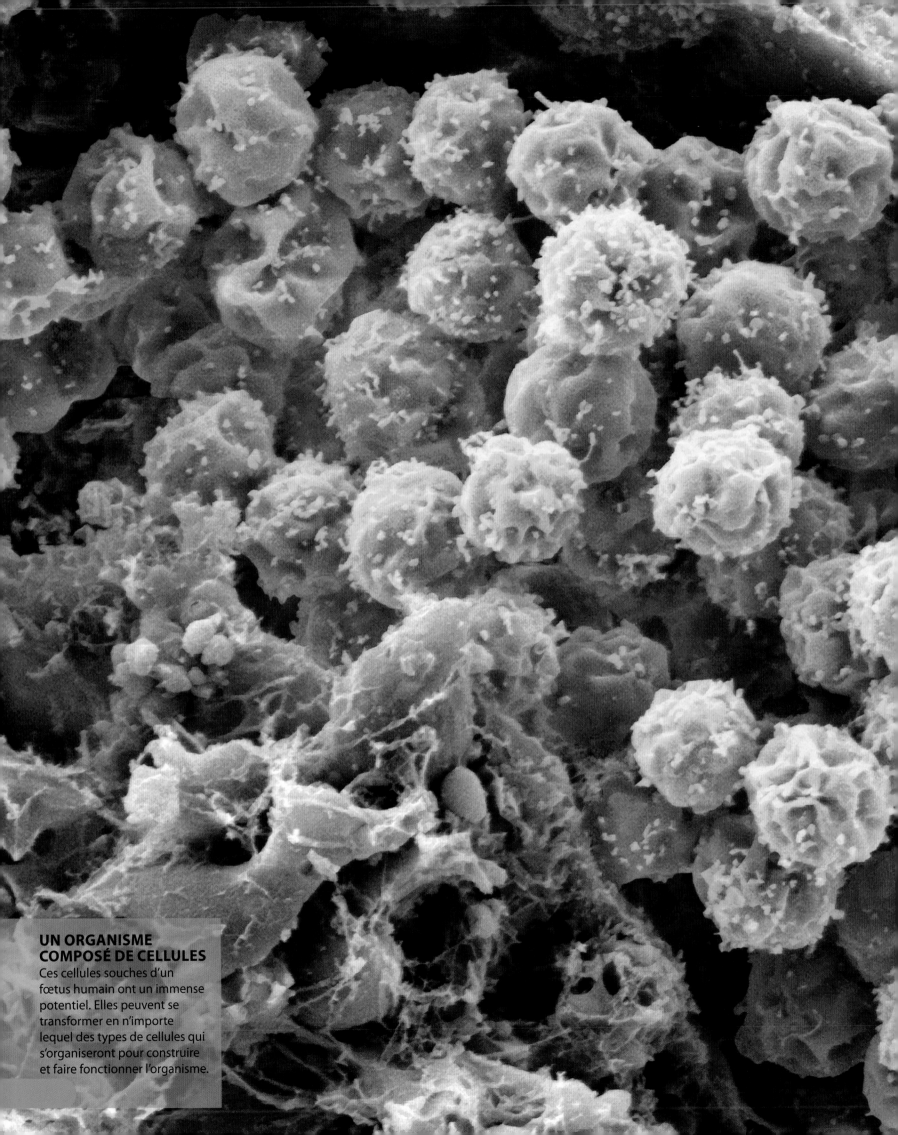

UN ORGANISME COMPOSÉ DE CELLULES

Ces cellules souches d'un fœtus humain ont un immense potentiel. Elles peuvent se transformer en n'importe lequel des types de cellules qui s'organiseront pour construire et faire fonctionner l'organisme.

Les structures du corps

Les peuples

De l'Arctique aux forêts pluviales d'Amazonie, de New York à Tokyo, les hommes n'ont pas tous le même aspect mais ces différences sont superficielles. Sous la peau, leurs organismes se ressemblent et fonctionnent de la même manière. Ce qui est remarquable, c'est leur adaptabilité. Grâce à leur intelligence, les hommes ont su s'accoutumer à toute une variété de modes de vie dans des milieux très différents.

▼ LES INUITS

Experts de la survie dans la neige et la glace, les Inuits vivent dans le nord du Canada et au Groenland depuis environ 5 000 ans. Bien protégés du froid par d'épais habits fabriqués traditionnellement à partir de peaux et de fourrures, ils parcourent les étendues glacées sur des traîneaux à chiens ou des motoneiges. Ils se nourrissent des produits de la pêche et de la chasse, à la baleine ou au caribou.

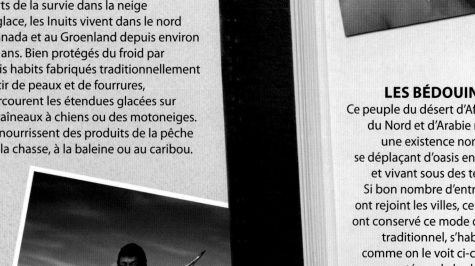

◄ LES YANOMAMI

Resté isolé du monde extérieur jusqu'au XXᵉ siècle, le peuple yanomami vit dans des petits villages au cœur de la forêt chaude et humide d'Amazonie, en Amérique du Sud. Les Yanomami défrichent de petites surfaces pour y cultiver bananes et manioc, récoltent les fruits sauvages, chassent et pêchent. Ils migrent périodiquement vers de nouveaux secteurs.

LES BÉDOUINS ►

Ce peuple du désert d'Afrique du Nord et d'Arabie mène une existence nomade, se déplaçant d'oasis en oasis et vivant sous des tentes. Si bon nombre d'entre eux ont rejoint les villes, certains ont conservé ce mode de vie traditionnel, s'habillant comme on le voit ci-contre pour se protéger de la chaleur intense. Pour se déplacer et transporter les marchandises dont ils font commerce, ils utilisent des dromadaires, animaux capables de survivre des semaines sans boire. Ces derniers leur fournissent également des peaux, de la viande et du lait.

◄ LES HABITANTS DES VILLES

Plus de trois milliards de personnes vivent actuellement dans les villes et ce nombre augmente chaque année de plusieurs millions. Ces citadins dépendent des biens et de la nourriture apportés de l'extérieur. Ils viennent s'installer dans les métropoles, attirés par les opportunités d'emploi, le haut niveau de vie et les facilités qu'elles offrent. Mais les grandes villes peuvent aussi être des lieux de grande pauvreté, où la pollution et le stress réduisent l'espérance de vie.

▼ LES CULTIVATEURS OCCIDENTAUX

L'agriculture est née il y a quelque 10 000 ans au Moyen-Orient. Faire pousser la nourriture, au lieu de chasser ou de pratiquer la cueillette, permit aux hommes de s'installer en petites communautés. De nos jours, les cultivateurs occidentaux produisent à très grande échelle pour alimenter les populations habitant majoritairement les villes. Utilisant des techniques modernes, ils travaillent la terre et élèvent du bétail composé essentiellement de bovins et d'ovins. Ces animaux sont généralement sélectionnés pour produire un maximum de viande, de lait ou de laine.

◀ LES SAN

Dans le désert chaud et sec du Kalahari, qui s'étend sur le Botswana et la Namibie dans le sud de l'Afrique, vit le peuple san. Les San sont des chasseurs-cueilleurs menant aujourd'hui encore le mode de vie nomade qui est le leur depuis des millénaires. Ils exploitent un secteur du désert à la recherche d'eau et de nourriture, s'abritant dans des huttes temporaires, puis se déplacent vers une autre zone. Les hommes chassent tandis que les femmes récoltent des baies, des noix ou des racines.

▲ LES BAJAUS

Les Bajaus, dans le sud-est asiatique, passent le plus clair de leur temps sur la mer. Ils vivent sur des bateaux et dans des maisons sur pilotis, dans la mer de Sulu, qui s'étend entre les Philippines et Bornéo, ne revenant à terre que pour se procurer de l'eau douce. Ils tirent leur subsistance du commerce et de la pêche. Le trépang, une espèce d'holothurie (des cousins de l'étoile de mer), très apprécié par les Chinois, constitue une prise de choix pour les pêcheurs bajaus.

Nos ancêtres

Dans les forêts africaines, il y a environ 7 millions d'années, nos ancêtres, qui ressemblaient encore beaucoup à des singes, commencèrent à se redresser pour marcher sur leurs membres postérieurs. La bipédie libéra leurs mains désormais disponibles pour effectuer diverses tâches. En outre, cette posture plus élevée leur permettait de voir venir les prédateurs de loin. Au cours des millions d'années qui suivirent, l'évolution équipa peu à peu les hominines (la lignée humaine) d'un cerveau plus gros. Ils maîtrisèrent le feu, la fabrication des outils, et développèrent l'agriculture.

Face proéminente comme celle d'un singe

AUSTRALOPITHECUS AFARENSIS ▶

Cet ancien cousin de la taille d'un chimpanzé marchait sur ses jambes, mais probablement encore avec les genoux et le bassin pliés plutôt que complètement droit. *Australopithecus afarensis* vivait en Afrique de l'Est il y a 3,9 à 2,9 millions d'années, occupant les boisements mixtes et les prairies, et se nourrissant de feuilles et de racines.

◀ AUSTRALOPITHECUS AFRICANUS

Entre – 3 et – 2 millions d'années, *Australopithecus africanus* occupait les forêts ouvertes d'Afrique du Sud. Son cerveau était un peu plus gros que celui des chimpanzés. Il vivait en petits groupes, se nourrissant de fruits, de graines, de racines, d'insectes et probablement de petits mammifères, un peu comme les chimpanzés actuels. Bien que ses mâchoires et ses dents fussent plus massives que celles de l'homme moderne, elles étaient plus proches des nôtres que de celles d'un singe.

◀ HOMO HABILIS

Environ un tiers plus petit que nous, l'« homme habile » *(Homo habilis)* vivait en Afrique de l'Est il y a 2,5 à 1,6 millions d'années. Il avait la face plus plate et un cerveau significativement plus gros que ses ancêtres. Il fut le premier hominine à fabriquer et utiliser des outils, notamment des éclats de pierre pour découper et gratter la viande. Son régime était beaucoup plus carnivore, donc plus riche en nutriments nécessaires à l'expansion du cerveau.

La peau moins abondamment poilue permettait la transpiration pour refroidir le corps.

Comme chez les singes, les bras étaient plus longs que les jambes.

Les mains servaient à tenir et fabriquer des outils.

HOMO ERGASTER ▶

L'« homme artisan » *(Homo ergaster)* vécut il y a 2 à 1,3 millions d'années et fut probablement le premier hominine à quitter l'Afrique. Il avait perdu les longs bras et la posture inclinée en avant de ses ancêtres. Il possédait un cerveau plus gros et était grand et élancé. Ses longues jambes lui permettaient de courir vite et de migrer sur de grandes distances. Il fabriquait des outils de pierre évolués tels les premiers bifaces symétriques.

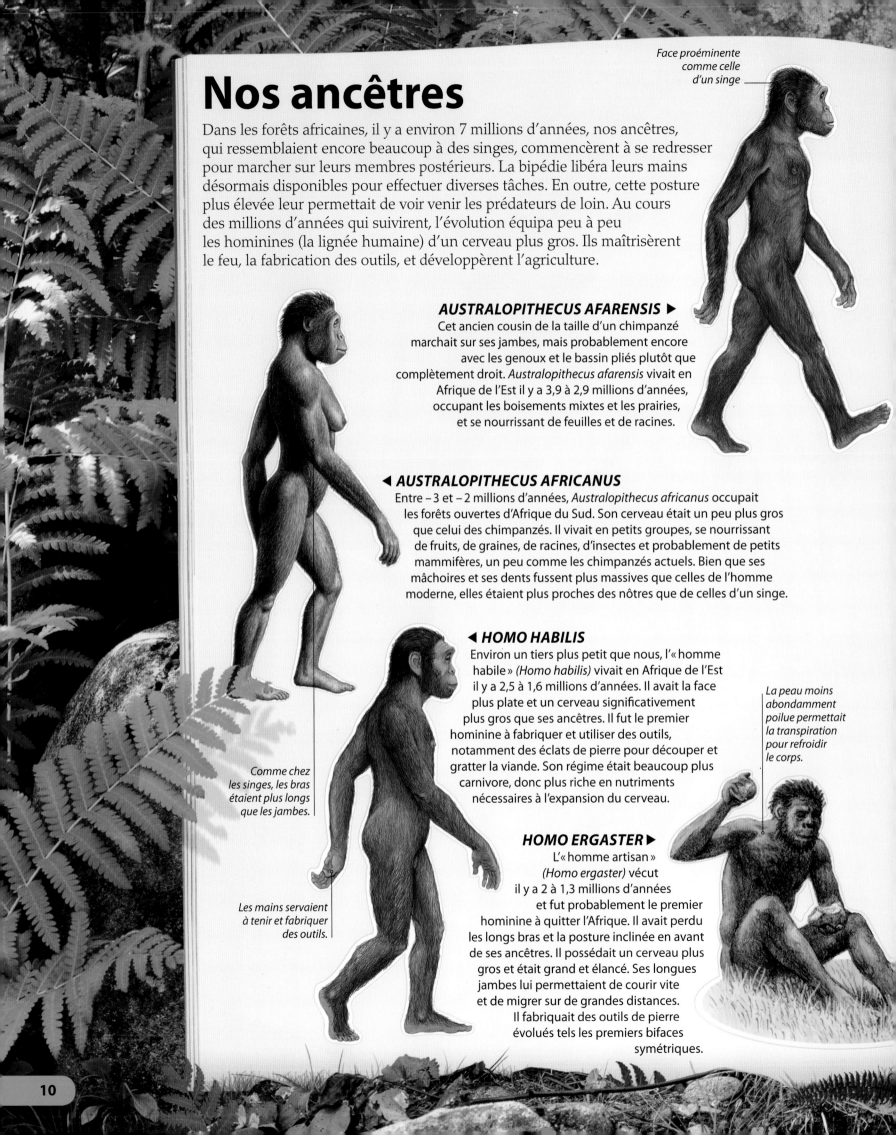

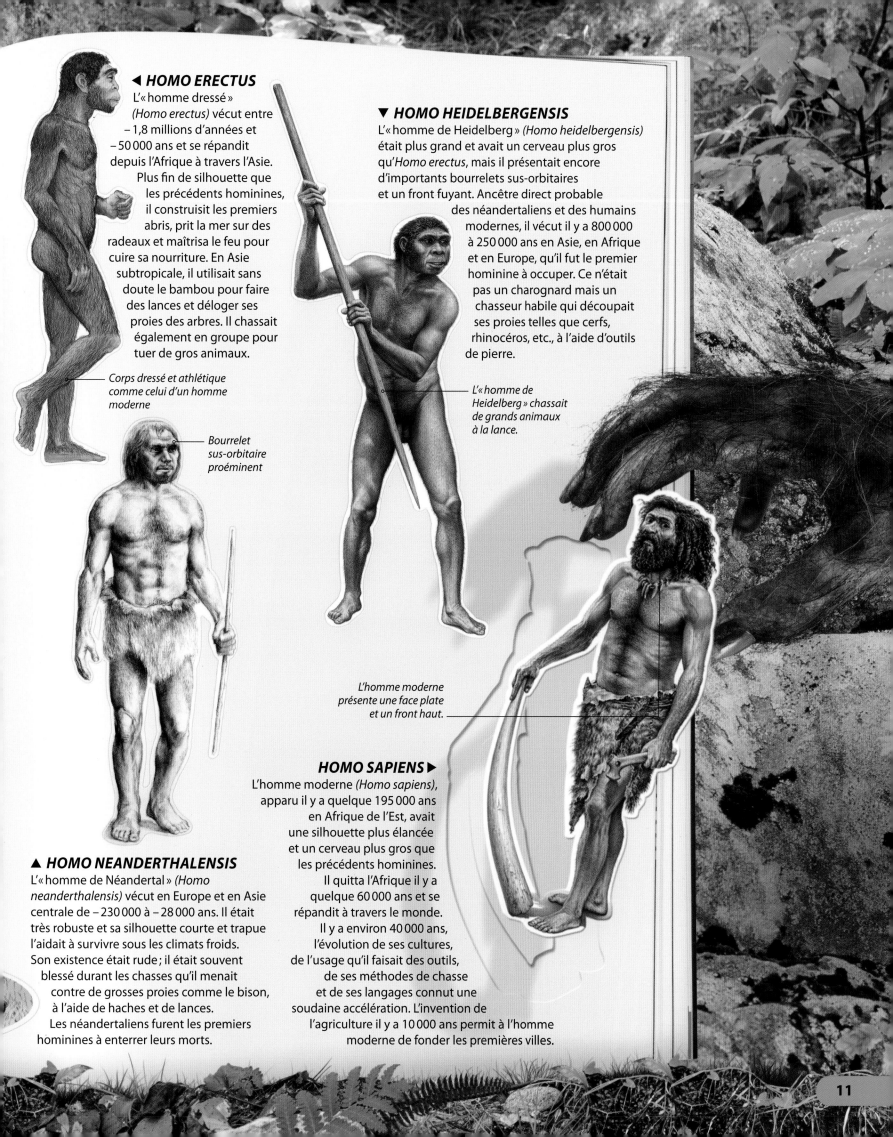

◄ HOMO ERECTUS

L'«homme dressé» *(Homo erectus)* vécut entre – 1,8 millions d'années et – 50 000 ans et se répandit depuis l'Afrique à travers l'Asie. Plus fin de silhouette que les précédents hominines, il construisit les premiers abris, prit la mer sur des radeaux et maîtrisa le feu pour cuire sa nourriture. En Asie subtropicale, il utilisait sans doute le bambou pour faire des lances et déloger ses proies des arbres. Il chassait également en groupe pour tuer de gros animaux.

Corps dressé et athlétique comme celui d'un homme moderne

Bourrelet sus-orbitaire proéminent

▼ HOMO HEIDELBERGENSIS

L'«homme de Heidelberg» *(Homo heidelbergensis)* était plus grand et avait un cerveau plus gros qu'*Homo erectus*, mais il présentait encore d'importants bourrelets sus-orbitaires et un front fuyant. Ancêtre direct probable des néandertaliens et des humains modernes, il vécut il y a 800 000 à 250 000 ans en Asie, en Afrique et en Europe, qu'il fut le premier hominine à occuper. Ce n'était pas un charognard mais un chasseur habile qui découpait ses proies telles que cerfs, rhinocéros, etc., à l'aide d'outils de pierre.

L'«homme de Heidelberg» chassait de grands animaux à la lance.

L'homme moderne présente une face plate et un front haut.

▲ HOMO NEANDERTHALENSIS

L'«homme de Néandertal» *(Homo neanderthalensis)* vécut en Europe et en Asie centrale de – 230 000 à – 28 000 ans. Il était très robuste et sa silhouette courte et trapue l'aidait à survivre sous les climats froids. Son existence était rude ; il était souvent blessé durant les chasses qu'il menait contre de grosses proies comme le bison, à l'aide de haches et de lances. Les néandertaliens furent les premiers hominines à enterrer leurs morts.

HOMO SAPIENS ▶

L'homme moderne *(Homo sapiens)*, apparu il y a quelque 195 000 ans en Afrique de l'Est, avait une silhouette plus élancée et un cerveau plus gros que les précédents hominines. Il quitta l'Afrique il y a quelque 60 000 ans et se répandit à travers le monde. Il y a environ 40 000 ans, l'évolution de ses cultures, de l'usage qu'il faisait des outils, de ses méthodes de chasse et de ses langages connut une soudaine accélération. L'invention de l'agriculture il y a 10 000 ans permit à l'homme moderne de fonder les premières villes.

Les cellules

Si l'on prélève un petit échantillon des tissus de l'organisme et qu'on le place sous un microscope pour l'observer, on constate qu'il est composé de minuscules unités vivantes appelées cellules. Ces cellules microscopiques sont très nombreuses : on évalue leur nombre entre 40 000 et 60 000 milliards dans le corps humain. On en compte environ 200 types différents, chacun présentant une forme, une taille et des fonctions propres.

❷ LES GLOBULES ROUGES, OU HÉMATIES

Présentes par milliards dans notre sang, ces petites cellules en forme de disques moins épais au centre diffèrent de toutes les autres cellules de l'organisme par le fait qu'elles ne possèdent pas de noyau. Leur milieu interne est rempli d'une protéine de couleur rouge appelée hémoglobine, capable de fixer et de libérer de l'oxygène dont elles alimentent tous les organes du corps.

❸ LES CELLULES ADIPEUSES

Ces grosses cellules sont remplies de graisse riche en énergie. Leur réunion forme le tissu adipeux. Outre le fait qu'ils constituent une réserve d'énergie, les tissus adipeux, sous la peau, jouent le rôle d'isolant, réduisant la perte de chaleur de l'organisme. Ils forment aussi des coussins protecteurs autour des organes comme les yeux et les reins.

❶ LA STRUCTURE DE BASE DE LA CELLULE

Si les cellules du corps présentent de nombreuses formes et tailles différentes, toutes partagent la même structure de base, illustrée par cette cellule «type». La membrane contrôle les substances qui entrent et sortent de la cellule. Dans le cytoplasme dérivent de minuscules structures appelées organites. Le noyau, quant à lui, renferme les instructions qui commandent toutes les activités de la cellule.

La membrane cellulaire enveloppe la cellule.

Le cytoplasme est un fluide gélatineux qui emplit l'espace entre la membrane et le noyau.

Les organites assurent toutes sortes de fonctions vitales, comme la libération d'énergie et la fabrication des protéines.

Le noyau contrôle l'ensemble de l'activité cellulaire.

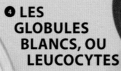

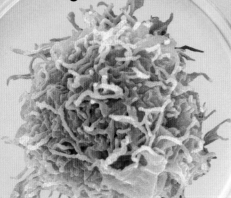

❹ LES GLOBULES BLANCS, OU LEUCOCYTES

Sans les leucocytes, l'organisme serait incapable de se protéger contre les agents pathogènes tels que les bactéries néfastes. Il en existe plusieurs types, comme ce lymphocyte, qui constituent les éléments clés du système immunitaire de l'organisme. Ils parcourent le système circulatoire et les tissus, toujours prêts à détruire les envahisseurs susceptibles de déclencher des maladies.

POWER

WF10X

WF10X

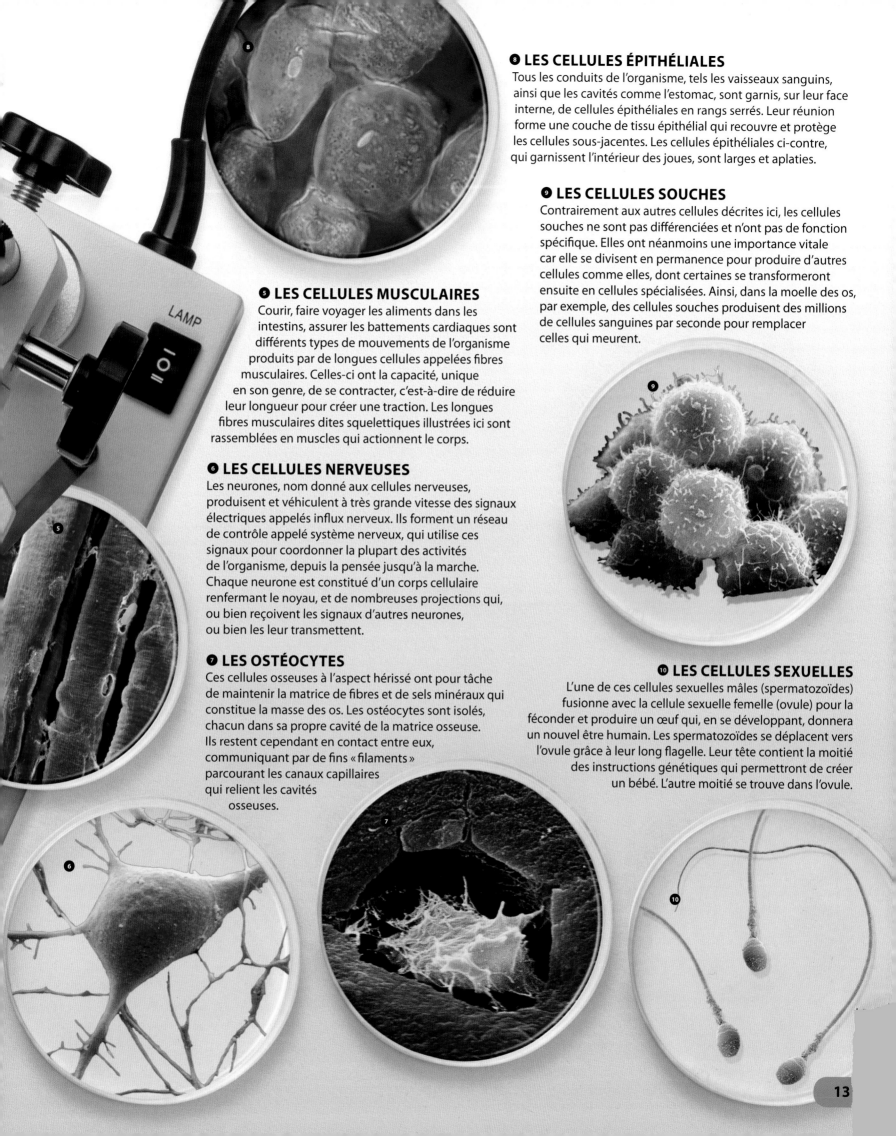

❽ LES CELLULES ÉPITHÉLIALES

Tous les conduits de l'organisme, tels les vaisseaux sanguins, ainsi que les cavités comme l'estomac, sont garnis, sur leur face interne, de cellules épithéliales en rangs serrés. Leur réunion forme une couche de tissu épithélial qui recouvre et protège les cellules sous-jacentes. Les cellules épithéliales ci-contre, qui garnissent l'intérieur des joues, sont larges et aplaties.

❾ LES CELLULES SOUCHES

Contrairement aux autres cellules décrites ici, les cellules souches ne sont pas différenciées et n'ont pas de fonction spécifique. Elles ont néanmoins une importance vitale car elle se divisent en permanence pour produire d'autres cellules comme elles, dont certaines se transformeront ensuite en cellules spécialisées. Ainsi, dans la moelle des os, par exemple, des cellules souches produisent des millions de cellules sanguines par seconde pour remplacer celles qui meurent.

❺ LES CELLULES MUSCULAIRES

Courir, faire voyager les aliments dans les intestins, assurer les battements cardiaques sont différents types de mouvements de l'organisme produits par de longues cellules appelées fibres musculaires. Celles-ci ont la capacité, unique en son genre, de se contracter, c'est-à-dire de réduire leur longueur pour créer une traction. Les longues fibres musculaires dites squelettiques illustrées ici sont rassemblées en muscles qui actionnent le corps.

❻ LES CELLULES NERVEUSES

Les neurones, nom donné aux cellules nerveuses, produisent et véhiculent à très grande vitesse des signaux électriques appelés influx nerveux. Ils forment un réseau de contrôle appelé système nerveux, qui utilise ces signaux pour coordonner la plupart des activités de l'organisme, depuis la pensée jusqu'à la marche. Chaque neurone est constitué d'un corps cellulaire renfermant le noyau, et de nombreuses projections qui, ou bien reçoivent les signaux d'autres neurones, ou bien les leur transmettent.

❼ LES OSTÉOCYTES

Ces cellules osseuses à l'aspect hérissé ont pour tâche de maintenir la matrice de fibres et de sels minéraux qui constitue la masse des os. Les ostéocytes sont isolés, chacun dans sa propre cavité de la matrice osseuse. Ils restent cependant en contact entre eux, communiquant par de fins «filaments» parcourant les canaux capillaires qui relient les cavités osseuses.

❿ LES CELLULES SEXUELLES

L'une de ces cellules sexuelles mâles (spermatozoïdes) fusionne avec la cellule sexuelle femelle (ovule) pour la féconder et produire un œuf qui, en se développant, donnera un nouvel être humain. Les spermatozoïdes se déplacent vers l'ovule grâce à leur long flagelle. Leur tête contient la moitié des instructions génétiques qui permettront de créer un bébé. L'autre moitié se trouve dans l'ovule.

13

Le contrôle cellulaire

Le noyau de la cellule est généralement décrit comme son centre de contrôle. Il renferme 46 chromosomes qui contiennent quelque 25 000 gènes. Ces derniers sont constitués d'une remarquable molécule appelée acide désoxyribonucléique (ou ADN), capable de se copier elle-même et qui peut être dupliquée. Les gènes constituent une banque d'instructions que les cellules utilisent pour produire, à partir d'unités moléculaires appelées acides aminés, une incroyable diversité de substances : les protéines. Ce sont des protéines qui entrent dans la construction des cellules, assurent leur fonctionnement chimique, transportent l'oxygène et combattent les maladies, pour ne citer que quelques exemples. Sans les protéines, la vie serait tout simplement impossible.

❶ LES CHROMOSOMES

Le noyau de chaque cellule de l'organisme renferme deux séries identiques – ou presque – de 23 chromosomes, soit 46 en tout.

Chaque chromosome est constitué d'une unique et très longue molécule d'ADN qui contient une partie des instructions nécessaires à la construction et au fonctionnement de la cellule. Normalement, les chromosomes forment de long brins très fins et indistincts, mais lorsque la cellule est sur le point de se diviser, ils se contractent et se séparent pour former la structure en X que l'on voit ici.

❷ L'ADN

Une molécule d'ADN, ou acide désoxyribonucléique, a l'aspect d'une longue échelle en hélice. Ses deux «montants» sont reliés par des «barreaux» constitués de quatre substances chimiques appelées bases. Les bases forment, en quelque sorte, les «lettres» des instructions codées portées par les gènes, nécessaires à la fabrication de protéines spécifiques. La production des protéines intervient dans le cytoplasme de la cellule, alors que l'ADN se trouve dans le noyau. Pour que les instructions d'un gène soient transférées du noyau vers le cytoplasme, le gène doit être copié. C'est le rôle de l'ARN.

❸ L'ARN

La molécule d'ARN, ou acide ribonucléique, est de structure similaire à celle d'ADN mais elle est beaucoup plus courte et elle n'est constituée que d'un seul brin (un seul «montant» et une moitié de chaque «barreau» de l'échelle). En outre, il en existe plusieurs types: L'ARN messager (ARNm) copie dans le noyau une portion – un gène – de la molécule d'ADN et l'emporte vers le cytoplasme. Là, des molécules d'ARN transfert (ARNt) capturent des acides aminés (qui sont au nombre de 20) et les assemblent dans un ordre précis en venant lire les instructions contenues dans l'ARNm. Les assemblages d'acides aminés formeront les protéines.

Les bases formant les «barreaux» constituent les «lettres» des instructions génétiques.

Les «montants» de l'échelle forment l'ossature de la molécule, composée d'un sucre, le désoxyribose, et d'acide phosphorique.

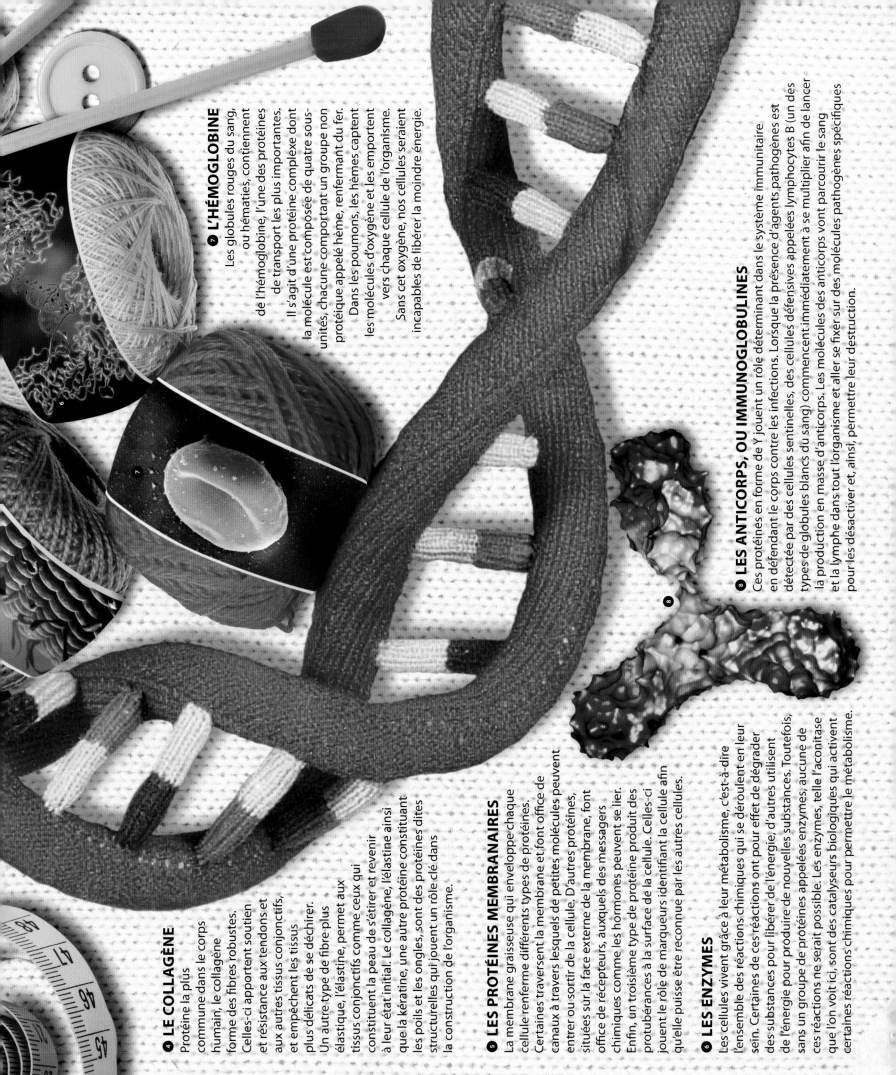

❼ L'HÉMOGLOBINE

Les globules rouges du sang, ou hématies, contiennent de l'hémoglobine, l'une des protéines de transport les plus importantes.

Il s'agit d'une protéine complexe dont la molécule est composée de quatre sous-unités, chacune comportant un groupe non protéique appelé hème, renfermant du fer.

Dans les poumons, les hèmes captent les molécules d'oxygène et les emportent vers chaque cellule de l'organisme. Sans cet oxygène, nos cellules seraient incapables de libérer la moindre énergie.

❽ LES ANTICORPS, OU IMMUNOGLOBULINES

Ces protéines en forme de Y jouent un rôle déterminant dans le système immunitaire en défendant le corps contre les infections. Lorsque la présence d'agents pathogènes est détectée par des cellules sentinelles, des cellules défensives appelées lymphocytes B (un des types de globules blancs du sang) commencent immédiatement à se multiplier afin de lancer la production en masse d'anticorps. Les molécules des anticorps vont parcourir le sang et la lymphe dans tout l'organisme et aller se fixer sur des molécules pathogènes spécifiques pour les désactiver et, ainsi, permettre leur destruction.

❹ LE COLLAGÈNE

Protéine la plus commune dans le corps humain, le collagène forme des fibres robustes. Celles-ci apportent soutien et résistance aux tendons et aux autres tissus conjonctifs, et empêchent les tissus plus délicats de se déchirer.

Un autre type de fibre plus élastique, l'élastine, permet aux tissus conjonctifs comme ceux qui constituent la peau de s'étirer et revenir à leur état initial. Le collagène, l'élastine ainsi que la kératine, une autre protéine constituant les poils et les ongles, sont des protéines dites structurelles qui jouent un rôle clé dans la construction de l'organisme.

❺ LES PROTÉINES MEMBRANAIRES

La membrane graisseuse qui enveloppe chaque cellule renferme différents types de protéines. Certaines traversent la membrane et font office de canaux à travers lesquels de petites molécules peuvent entrer ou sortir de la cellule. D'autres protéines, situées sur la face externe de la membrane, font office de récepteurs, auxquels des messagers chimiques comme les hormones peuvent se lier. Enfin, un troisième type de protéine produit des protubérances à la surface de la cellule. Celles-ci jouent le rôle de marqueurs identifiant la cellule afin qu'elle puisse être reconnue par les autres cellules.

❻ LES ENZYMES

Les cellules vivent grâce à leur métabolisme, c'est-à-dire l'ensemble des réactions chimiques qui se déroulent en leur sein. Certaines de ces réactions ont pour effet de dégrader des substances pour libérer de l'énergie, d'autres utilisent de l'énergie pour produire de nouvelles substances. Toutefois, sans un groupe de protéines appelées enzymes, aucune de ces réactions ne serait possible. Les enzymes, telle l'aconitase que l'on voit ici, sont des catalyseurs biologiques qui activent certaines réactions chimiques pour permettre le métabolisme.

La mitose : division cellulaire

Chacun de nous a commencé sa vie sous la forme d'un œuf fécondé. Cette unique cellule a donné naissance aux milliards de cellules qui constituent notre corps, grâce à un processus de multiplication par division cellulaire appelé mitose. Le noyau de chaque cellule compte 23 paires de chromosomes qui renferment toutes les données pour constituer un être vivant. Au cours de la mitose, les chromosomes sont dupliqués (copiés) puis séparés pour former deux nouvelles cellules identiques. En produisant chaque jour des milliards de nouvelles cellules, la mitose permet de grandir, de se développer, d'entretenir et de réparer l'organisme.

Chromosome
en forme de X

Fibre
du fuseau
achromatique

▲ LA PRÉPARATION

Dans le noyau de la cellule, chaque chromosome, initialement à l'état de long filament indistinct, commence par se spiraler de nombreuses fois sur lui-même, devenant plus court et plus épais, et se duplique en se copiant. À ce stade, les deux copies, appelées chromatides, sont encore rattachées en leur centre pour former une structure en X. Pour simplifier, seules deux paires de chromosomes ont été représentées ici. L'un des membres de chaque paire vient de la mère (en rouge), l'autre du père (en bleu).

◄ L'ALIGNEMENT

La membrane enveloppant le noyau disparaît. Dans le même temps, un faisceau de fibres microscopiques, appelé fuseau achromatique, se forme dans le cytoplasme de la cellule. Les chromosomes se placent le long d'une ligne équatoriale, au milieu de la cellule. Les extrémités des fibres du réseau achromatique viennent se fixer sur le point central de chaque chromosome, préparant la cellule pour l'étape suivante.

Pôle
de la cellule

◄ LA SÉPARATION DES CHROMOSOMES

Il est maintenant temps pour les deux chromatides identiques qui composent les chromosomes de se séparer. Le point central qui les relie s'ouvre en deux. Les fibres du réseau achromatique attachées à ces points centraux commencent alors à raccourcir. Ce faisant, elles entraînent vers les deux pôles de la cellule les chromatides séparées, qui ressemblent dès lors aux chromosomes originels tels qu'ils étaient avant leur duplication, mais désormais en quantité double.

Membrane
nucléaire

◀ LA
DIVISION
DE LA CELLULE

Après avoir migré vers les pôles de
la cellule, les chromatides constituent
deux stocks complets de chromosomes.
N'étant plus nécessaires, les fibres du fuseau
achromatique se disloquent et disparaissent.
Une membrane nucléaire se reforme autour
de chacun des deux ensembles de
chromosomes pour constituer deux noyaux.
Le cytoplasme de la cellule initiale
commence alors à se diviser afin
que les deux cellules filles
puissent se séparer.

Nouveaux chromosomes
dans un nouveau noyau
cellulaire

LES CELLULES
FILLES ▶

Le cytoplasme s'est maintenant
complètement séparé pour former
deux cellules filles, produit final de
la mitose. Ces cellules sont identiques
en tous points, et identiques également
à la cellule mère qui leur a donné
naissance. Toutes deux ont exactement
le même nombre de chromosomes
dans leur noyau, renfermant par
conséquent les mêmes instructions
qui leur permettront d'assurer
toutes leurs fonctions
vitales.

◀UN
PROCESSUS
ESSENTIEL

La mitose est un processus vital
permettant de produire et renouveler
sans cesse le stock de cellules
constituant l'organisme. Par exemple,
les cellules de l'épiderme ou celles
du tissu qui garnit l'intérieur
de l'intestin grêle sont en permanence
endommagées, meurent et doivent
être remplacées. Dans la moelle rouge
des os, la mitose produit des
milliards de nouveaux globules
rouges pour remplacer
ceux qui meurent.

Les organes du corps

Le cœur, le cerveau, les reins, etc. sont des organes du corps humain ayant chacun un rôle spécifique à jouer dans l'organisme. Ils sont constitués de tissus, dont il existe quatre principaux types : on peut dire, en simplifiant, que les tissus épithéliaux recouvrent, les tissus conjonctifs soutiennent, les tissus musculaires actionnent et les tissus nerveux contrôlent. Chaque organe est constitué au moins de deux types de tissus qui agissent ensemble pour assurer ses fonctions.

Les tissus sont, à leur tour, constitués d'une communauté de cellules de types identiques ou similaires.

▶ LE TISSU ÉPITHÉLIAL

Appelés aussi épithéliums, les tissus épithéliaux sont constitués de couches de cellules étroitement assemblées, qui garnissent l'intérieur des organes creux et des cavités comme l'estomac et les vaisseaux sanguins. L'épiderme, couche supérieure de la peau (ci-contre), est également un tissu épithélial.

Un épithélium a pour fonction de protéger les tissus qu'il recouvre des agents pathogènes et des substances dangereuses. Les cellules épithéliales se divisent continuellement pour remplacer celles qui sont usées ou endommagées.

▶ LE TISSU MUSCULAIRE

Comme les autres types de tissus musculaires, les muscles lisses, illustrés ici, ont pour fonction de produire le mouvement. Ils sont constitués de fibres musculaires qui utilisent de l'énergie pour se contracter, donc se raccourcir, et appliquer de ce fait une force de traction. Ainsi, ce sont les fibres musculaires lisses de la paroi de la vessie qui provoquent sa contraction pour expulser l'urine. Les muscles squelettiques, ou striés, sont ceux qui actionnent le squelette tandis que le muscle cardiaque, qui compose le cœur, permet à ce dernier de battre.

◀ LE TISSU CONJONCTIF

Il existe dans le corps de nombreux types différents de tissus conjonctifs, ou connectifs. La plupart ont pour fonction de soutenir et de protéger d'autres tissus et d'assurer leur cohésion. Ces fibres de collagène (ci-dessus), que l'on trouve entre les cellules des tissus conjonctifs, leur apportent à la fois souplesse et robustesse. Les os, les cartilages, les tendons et les ligaments sont des tissus conjonctifs, de même que les tissus adipeux et le sang.

L'encéphale contrôle la plupart des activités de l'organisme, y compris la pensée.

Le muscle deltoïde assure les mouvements du bras dans plusieurs directions.

L'humérus est l'un des 206 os qui soutiennent le corps.

Les poumons assurent les échanges d'oxygène et de gaz carbonique entre l'air et le sang.

Le cœur, par son action de pompe, assure la circulation du sang dans tout l'organisme.

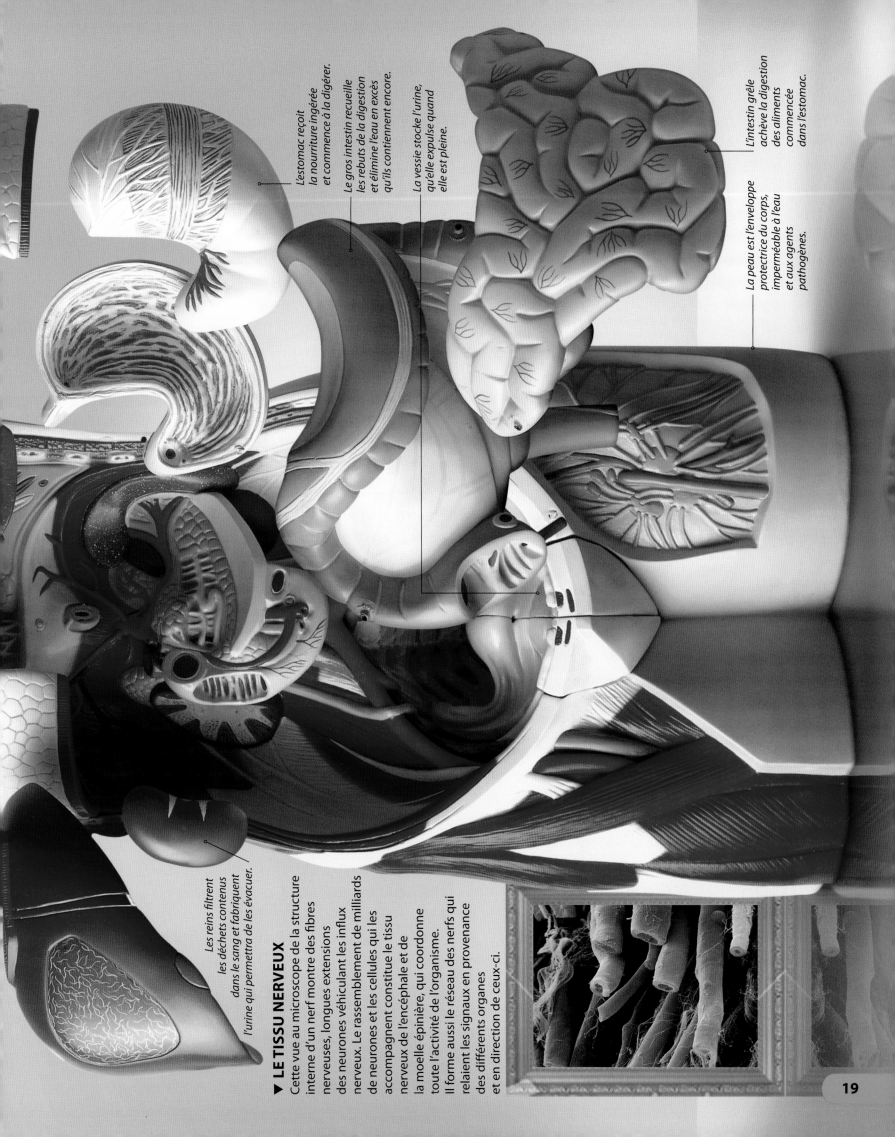

L'estomac reçoit la nourriture ingérée et commence à la digérer.

Le gros intestin recueille les rebuts de la digestion et élimine l'eau en excès qu'ils contiennent encore.

La vessie stocke l'urine, qu'elle expulse quand elle est pleine.

L'intestin grêle achève la digestion des aliments commencée dans l'estomac.

La peau est l'enveloppe protectrice du corps, imperméable à l'eau et aux agents pathogènes.

Les reins filtrent les déchets contenus dans le sang et fabriquent l'urine qui permettra de les évacuer.

▼ LE TISSU NERVEUX

Cette vue au microscope de la structure interne d'un nerf montre des fibres nerveuses, longues extensions des neurones véhiculant les influx nerveux. Le rassemblement de milliards de neurones et les cellules qui les accompagnent constitue le tissu nerveux de l'encéphale et de la moelle épinière, qui coordonne toute l'activité de l'organisme. Il forme aussi le réseau des nerfs qui relaient les signaux en provenance des différents organes et en direction de ceux-ci.

19

Les grands systèmes de l'organisme

Douze grands systèmes constituent le corps humain et le font fonctionner. Chacun est composé d'un ensemble d'organes qui coopèrent pour assurer une fonction ou un ensemble de fonctions particulières. Les organes du système digestif, par exemple, ont pour rôle de dégrader les molécules complexes apportées par la nourriture. Ils les convertissent en substances plus simples assimilables par l'organisme, tels le glucose et les acides aminés. Ces derniers sont utilisés par les cellules du corps respectivement comme source d'énergie et éléments de constitution des tissus.

❶ Le système circulatoire   Le cœur, le sang et les vaisseaux sanguins constituent le système circulatoire, ou cardiovasculaire. Sa fonction est de véhiculer le sang à travers tout l'organisme pour alimenter les cellules en oxygène, en éléments nourriciers et autres substances essentielles, et les débarrasser de leurs déchets.

❷ Le système digestif   Ce long tube, qui comporte l'estomac et les intestins, se déroule de la bouche à l'anus. Il transforme les aliments en nutriments essentiels pour qu'ils puissent passer dans le sang, et expulse les déchets résultant de cette dégradation.

❸ Le système endocrinien   Comme le système nerveux, le système endocrinien a un rôle régulateur des activités de l'organisme. Il est constitué de glandes qui libèrent dans le sang des messagers chimiques appelés hormones. Les hormones ont des tissus ou des organes cibles dont elles modifient l'activité. Elles peuvent contrôler des processus complexes tels que la croissance.

❹ Le système squelettique   Cette armature faite d'os, de cartilages et de ligaments soutient le corps. Des articulations souples lui permettent de se mouvoir lorsque les muscles ancrés sur les os leur appliquent des tractions. Le squelette a également pour rôle de protéger des organes fragiles comme le cerveau et intervient dans la fabrication des cellules du sang.

❺ Le système reproducteur   C'est le seul système qui présente une différence de constitution entre les deux sexes. Il permet à l'espèce humaine de se reproduire en donnant naissance à des enfants qui remplaceront les parents après leur mort. Les systèmes mâle et femelle produisent chacun des cellules sexuelles qui fusionnent pour créer un embryon.

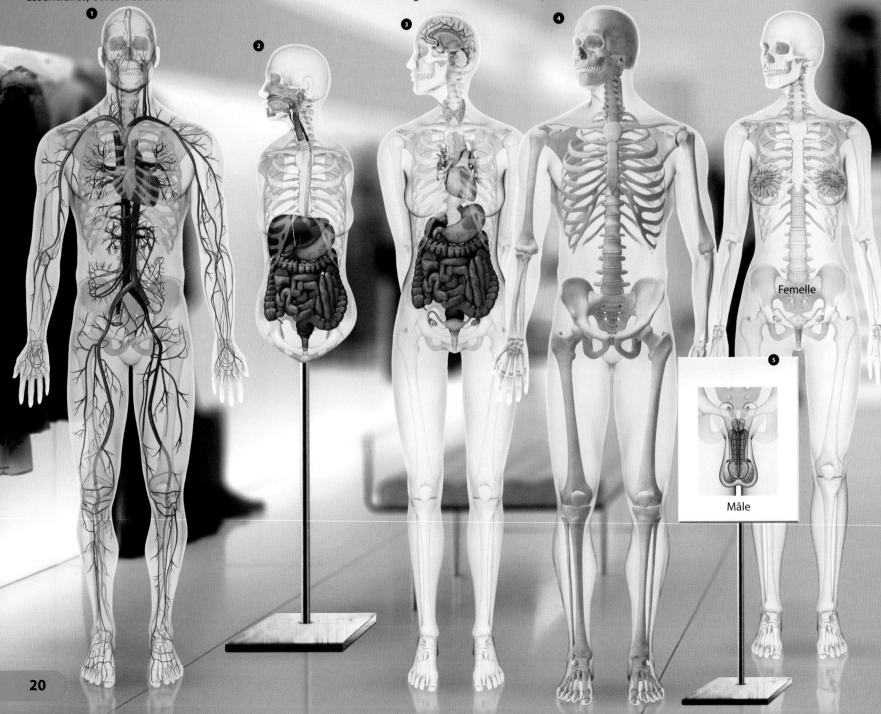

Femelle

Mâle

❻ Le système lymphatique   Le sang qui irrigue les tissus laisse sur son passage des fluides en excès autour des cellules. Ces fluides, qui composent la lymphe, sont drainés par des vaisseaux et redirigés vers le sang. Ces vaisseaux, dits lymphatiques, et les nœuds qu'ils forment par endroits, constituent le système lymphatique.

❼ Le système tégumentaire   Constitué de la peau, des poils et des ongles, ce système recouvre le corps, empêchant la pénétration des germes et les pertes en eau. Il a aussi pour rôle d'intercepter les rayons dangereux du soleil et intervient dans la régulation de la température corporelle et dans la perception sensorielle.

❽ Le système musculaire   Les muscles squelettiques, qui enveloppent les os et s'y rattachent, génèrent les forces de traction qui permettent au corps de bouger. D'autres types de muscles au sein de l'organisme font circuler les aliments dans les intestins et battre le cœur.

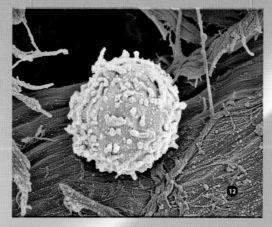

❾ Le système nerveux   Principal système de contrôle et de régulation de l'organisme, le système nerveux utilise des signaux électriques en guise de messages. À son niveau supérieur, figurent l'encéphale et la moelle épinière. Ceux-ci reçoivent, traitent et envoient les informations qui circulent le long des nerfs.

❿ Le système respiratoire   Celui-ci est constitué par les poumons, la trachée et les voies respiratoires supérieures. Il a pour fonction de fournir à l'organisme l'oxygène nécessaire pour « brûler » les substances assimilables des aliments afin de libérer leur énergie, ainsi que d'évacuer le dioxyde de carbone, résidu de ce processus.

⓫ Le système urinaire   Ce système débarrasse l'organisme de l'eau qu'il contient en excès et des déchets du métabolisme véhiculés par le sang. Les reins filtrent le sang puis mélangent l'eau et les déchets récupérés pour fabriquer l'urine. Ce liquide est stocké dans la vessie, qui l'expulse ensuite de l'organisme.

⓬ Le système immunitaire   Cette photo est celle d'un lymphocyte, l'une des cellules qui constituent le système immunitaire, dont le rôle est de détruire les virus et les bactéries pathogènes. Les cellules immunitaires se rencontrent dans les systèmes circulatoire et lymphatique, ainsi que dans d'autres tissus.

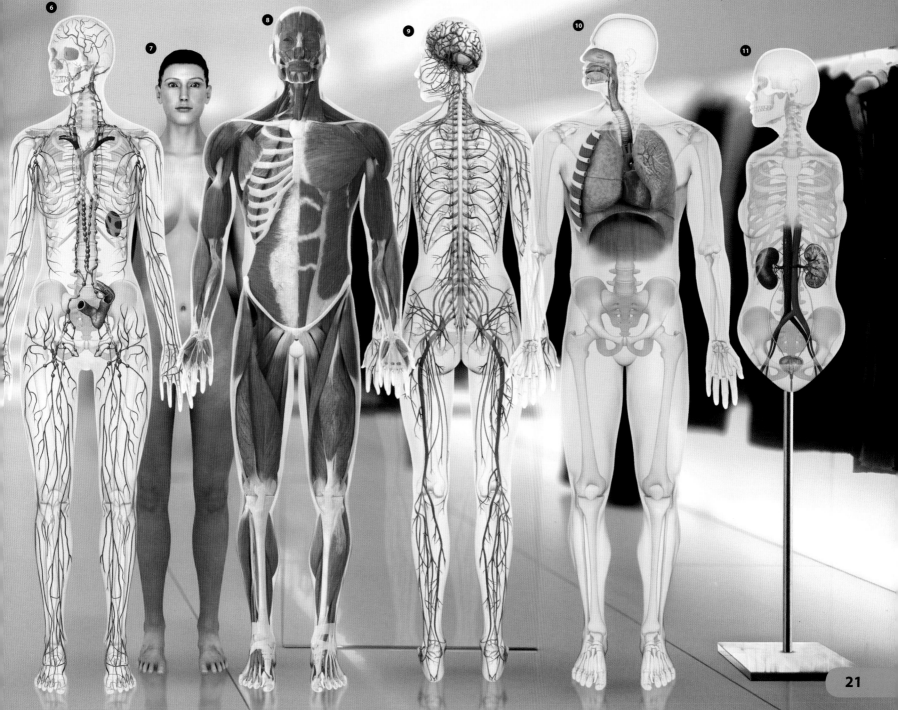

L'imagerie médicale

Jadis, le seul moyen de regarder dans l'organisme consistait à l'ouvrir. En 1895, la découverte des rayons X fournit la toute première méthode d'investigation à l'intérieur du corps sans intervention chirurgicale. De nos jours, les médecins disposent de nombreuses techniques d'imagerie permettant de diagnostiquer des maladies et d'entreprendre des traitements rapidement. Beaucoup de ces techniques font appel à l'ordinateur pour produire des images très précises, non plus seulement des os, comme c'était le cas des premiers rayons X, mais aussi des tissus mous et des organes.

❶ LA RADIOGRAPHIE

En projetant des rayons X de haute énergie à travers le corps vers une plaque photographique placée derrière, on obtient une image appelée radiographie. Les tissus denses comme les os absorbent le rayonnement et apparaissent en clair, tandis que les tissus mous, qui le laissent passer, apparaissent plus sombres sur l'image. Sur cette radiographie, un liquide qui absorbe les rayons X a été injecté dans le gros intestin pour le rendre visible. La couleur rouge est artificielle : elle a été ajoutée par ordinateur.

❷ L'ÉCHOCARDIOGRAPHIE

Les cardiologues, spécialistes du cœur et du système circulatoire, recourent à l'échocardiographie, ou échographie cardiaque, pour diagnostiquer certains troubles. La technique fait appel aux ultrasons pour produire des images bidimensionelles d'une section du cœur en train de battre. En les observant en plein travail, on peut voir si les cavités et les valvules du cœur fonctionnent correctement ou non. On peut également suivre le trajet du sang dans le cœur.

❸ L'ENDOSCOPIE

Cette image de l'intérieur d'un estomac en bonne santé a été obtenue grâce à un tube optique flexible appelé endoscope. Celui-ci est introduit par une ouverture naturelle – ici la bouche – ou par une incision chirurgicale. L'endoscope contient des fibres optiques qui véhiculent la lumière éclairant la partie de l'organisme inspectée, puis renvoient les images obtenues qui peuvent être observées sur un écran.

❹ L'ANGIOGRAPHIE

Il s'agit d'un type spécial de radiographie aux rayons X. Un produit de contraste opaque est injecté dans les veines. Celui-ci absorbe les rayons X, ce qui permet de faire ressortir à l'image les vaisseaux sanguins et de détecter d'éventuelles maladies ou lésions. Sur cette angiographie, on voit nettement les artères coronaires droite et gauche qui alimentent la paroi musculaire du cœur en oxygène et en éléments nourriciers.

❻ L'IRM

L'imagerie par résonance magnétique (IRM) produit des images de haute qualité des tissus mous, telle cette coupe de l'encéphale. Le patient, placé dans un scanner IRM en forme de tunnel, est exposé à un puissant champ magnétique qui produit un alignement des protons de certains atomes du corps, et l'émission par ceux-ci de signaux radio. Ces signaux sont traités par ordinateur pour produire une image.

❼ L'ARM

Cette image des principaux vaisseaux sanguins de la poitrine a été produite grâce à la technique d'angiographie par résonance magnétique (ARM). Il s'agit d'un type d'IRM que les médecins utilisent pour localiser les vaisseaux endommagés ou malades. On injecte souvent dans les veines du patient un produit de contraste à base d'un élément métallique appelé gadolinium pour les faire apparaître plus clairement.

❺ LA TOMOGRAPHIE AXIALE CALCULÉE PAR ORDINATEUR (TACO)

Pour cette technique, appelée couramment « scanner », un appareil en rotation autour du patient envoie des faisceaux de rayons X à travers le corps vers un détecteur relié à un ordinateur. Ce dernier produit des images en coupe qui sont ensuite assemblées en images tridimensionnelles comme celle-ci, qui montre les os et les vaisseaux sanguins de la partie supérieure du corps.

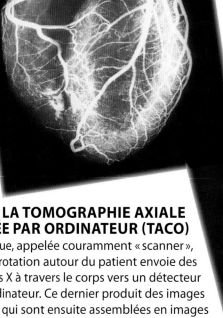

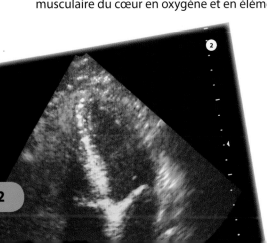

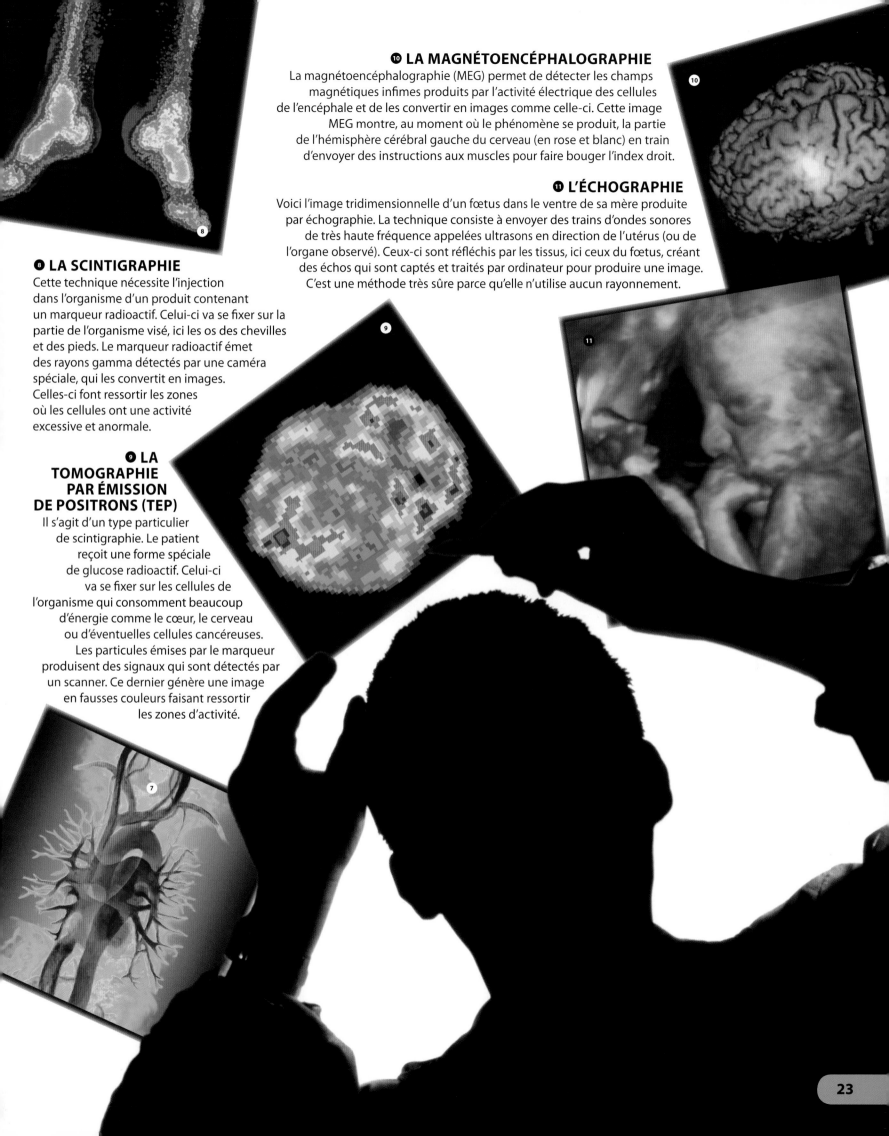

❿ LA MAGNÉTOENCÉPHALOGRAPHIE

La magnétoencéphalographie (MEG) permet de détecter les champs magnétiques infimes produits par l'activité électrique des cellules de l'encéphale et de les convertir en images comme celle-ci. Cette image MEG montre, au moment où le phénomène se produit, la partie de l'hémisphère cérébral gauche du cerveau (en rose et blanc) en train d'envoyer des instructions aux muscles pour faire bouger l'index droit.

⓫ L'ÉCHOGRAPHIE

Voici l'image tridimensionnelle d'un fœtus dans le ventre de sa mère produite par échographie. La technique consiste à envoyer des trains d'ondes sonores de très haute fréquence appelées ultrasons en direction de l'utérus (ou de l'organe observé). Ceux-ci sont réfléchis par les tissus, ici ceux du fœtus, créant des échos qui sont captés et traités par ordinateur pour produire une image. C'est une méthode très sûre parce qu'elle n'utilise aucun rayonnement.

❽ LA SCINTIGRAPHIE

Cette technique nécessite l'injection dans l'organisme d'un produit contenant un marqueur radioactif. Celui-ci va se fixer sur la partie de l'organisme visé, ici les os des chevilles et des pieds. Le marqueur radioactif émet des rayons gamma détectés par une caméra spéciale, qui les convertit en images. Celles-ci font ressortir les zones où les cellules ont une activité excessive et anormale.

❾ LA TOMOGRAPHIE PAR ÉMISSION DE POSITRONS (TEP)

Il s'agit d'un type particulier de scintigraphie. Le patient reçoit une forme spéciale de glucose radioactif. Celui-ci va se fixer sur les cellules de l'organisme qui consomment beaucoup d'énergie comme le cœur, le cerveau ou d'éventuelles cellules cancéreuses. Les particules émises par le marqueur produisent des signaux qui sont détectés par un scanner. Ce dernier génère une image en fausses couleurs faisant ressortir les zones d'activité.

23

La peau

Avec un poids total d'environ 5 kg, la peau est l'organe le plus volumineux du corps humain. Elle se comporte comme une gaine imperméable à l'eau et aux agents pathogènes, créant une barrière protectrice entre les fragiles tissus internes de l'organisme et le milieu extérieur agressif et sans cesse changeant. Elle contribue à maintenir une température corporelle constante de 37 °C et filtre les rayons dangereux du soleil. La peau est également le siège de perceptions sensorielles liées au toucher (pression, chaleur, froid) et à la douleur, et de production de vitamine D, essentielle à la bonne santé des os.

LA COULEUR DE LA PEAU ▶

La couleur de la peau humaine varie du rose pâle au presque noir en passant par différentes nuances de brun. Si sa teinte de fond rose est due au sang circulant dans le derme, sa couleur dépend essentiellement d'un pigment brun sombre appelé mélanine. Celui-ci est fabriqué et libéré par des cellules situées dans la base de l'épiderme. Ces cellules se rencontrent en quantité à peu près égale chez tous les individus, mais leur production de mélanine est plus importante chez les personnes à peau sombre.

LES COUCHES DE LA PEAU ▶

Comme le montre cette vue en coupe, la peau est formée de deux couches qui s'interpénètrent dans leur zone de contact. Couche supérieure protectrice, l'épiderme est constitué essentiellement de cellules aplaties et de fibres étroitement imbriquées de kératine, une protéine résistante et imperméable. Ces cellules sont continuellement remplacées à mesure qu'elles s'usent et tombent en petites squames desséchées. Plus épais, le derme, formant la couche inférieure, est résistant et souple à la fois. Il renferme des vaisseaux sanguins, les glandes sudoripares, des détecteurs sensoriels du toucher et les follicules pileux. Sous le derme, une couche de graisse dite sous-cutanée isole le corps et stocke de l'énergie.

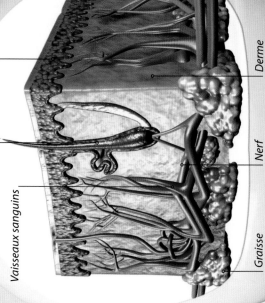

Épiderme

Poil dans son follicule

Vaisseaux sanguins

Derme

Nerf

Graisse sous-cutanée

LA PROTECTION SOLAIRE ▶

Qu'elle soit claire, foncée ou entre les deux, la peau humaine exposée au soleil connaît une phase d'assombrissement que l'on appelle bronzage. Le rayonnement solaire stimule les cellules de l'épiderme afin d'augmenter leur production de mélanine. Cette dernière crée en effet un écran qui absorbe les rayons ultraviolets susceptibles d'endommager les cellules. Néanmoins, dans des conditions d'ensoleillement intense, un chapeau, des habits légers et des lotions solaires sont essentiels pour fournir un surcroît de protection.

▼ LES ONGLES

Les ongles participent à notre dextérité. Sans leur aide, il serait bien difficile de saisir de tout petits objets. Ces plaques translucides dures ont aussi pour fonction de protéger et de soutenir l'extrémité sensibles de nos doigts. Les ongles se forment à partir de cellules situées à leur base. À mesure que celles-ci se multiplient, elles poussent vers l'avant celles qui les ont précédées. Ces dernières, comme les poils, se kératinisent, durcissant ainsi avant de mourir pour constituer la corne de l'ongle.

Gouttelettes de sueur sur la peau du bout d'un doigt

La chair de poule apparaît sur la peau lorsque nous avons froid.

▲ LA CHAIR DE POULE

Lorsque nous avons froid, de petits renflements apparaissent sur la peau, produisant ce que l'on appelle la chair de poule. Lorsque la température corporelle s'abaisse, de petits muscles situés dans la peau à la base des poils se contractent pour dresser ces derniers, provoquant ces renflements. Chez les animaux, ce mécanisme a pour but d'augmenter la couche isolante d'air chaud prise dans la fourrure. L'homme, quant à lui, n'a plus assez de poils pour que le système soit efficace.

▲ LA SUEUR

L'image ci-dessus montre, à fort grossissement, l'extrémité d'un doigt couvert de gouttelettes de sueur. Celles-ci sortent des quelque 2,5 millions de pores, minuscules trous répartis sur tout le corps. Sécrétée par les glandes sudoripares situées dans le derme, la sueur est constituée à 99% d'eau contenant en dissolution des toxines issues du métabolisme. La sueur est produite lorsque la température de l'organisme augmente. Son évaporation au contact de l'air absorbe la chaleur du corps, ce qui a pour effet de le refroidir.

Les poils

L'homme a perdu la luxuriante toison de ses cousins mammifères, avec lesquels il possède des ancêtres communs, mais sa peau n'en reste pas moins couverte de millions de poils. La plupart de ceux qui recouvrent le corps sont courts et fins. Reliés à des récepteurs sensoriels dans la peau, ils nous avertissent, par exemple, d'un risque de piqûre ou de morsure lorsqu'un insecte vient les effleurer d'un peu trop près. Sur la tête, les paupières et au-dessus des yeux se trouvent des poils plus épais. Les cheveux ont un rôle protecteur et participent à notre apparence physique. Cils et sourcils, quant à eux, protègent les yeux. Les humains mâles présentent également une pilosité développée sur la face et la poitrine.

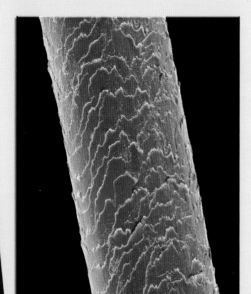

◀ DES FILAMENTS SOUPLES

Des poils poussent sur toute la surface du corps à l'exception des lèvres, de la paume des mains, de la plante des pieds et des seins. Ce sont des filaments souples constitués de cellules mortes kératinisées, disposées en couches autour d'un cœur central. Dans la cuticule externe (ci-contre), elles forment des écailles aplaties disposées comme les tuiles d'un toit. À la base de la tige, la racine du poil s'insère dans un follicule pileux situé dans l'épaisseur de la peau.

▼ LE POIL COUPÉ

Cette vue au microscope de la peau du visage d'un homme montre des poils de barbe coupés par le rasage et qui ont commencé à repousser à partir de leur follicule. Les cellules qui constituent la tige du poil sont mortes et le fait de les couper est, heureusement, totalement indolore.

LA POUSSE DES POILS ▼

Le poil pousse à partir d'un follicule pileux qui se présente comme un trou minuscule dans l'épaisseur de la peau. Des cellules vivantes situées à la base du follicule se divisent constamment pour renouveler la matière du poil et la poussent vers la surface. À mesure qu'elles remontent, les cellules meurent en se chargeant de kératine, une protéine qui rend le poil solide et durable. La glande sébacée, autour du follicule, sécrète dans celui-ci une substance huileuse, le sébum, qui assouplit et lubrifie le poil.

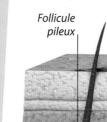

Follicule pileux

Glande sébacée

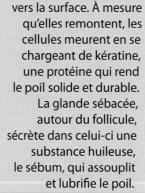

◀ LES CHEVEUX

Plus de 100 000 cheveux
constitués par des poils
longs et épais poussent
sur le cuir chevelu, la peau
qui recouvre le crâne.
Chaque cheveu a une durée
de vie de plusieurs années
et pousse à la vitesse de
1 cm par mois environ.
Il cesse ensuite de croître
et finit par tomber, poussé
hors de son follicule
par un nouveau poil.
Nous perdons ainsi une
centaine de cheveux par
jour qui sont remplacés.
Les cheveux protègent
la tête du froid et le cuir
chevelu des rayons
ultraviolets solaires,
néfastes.

▲ LA COULEUR DES CHEVEUX

Comme la peau, nos cheveux
sont colorés par la mélanine, un pigment dont
il existe quatre versions : jaune, rouille, brun et noir.
Ce sont la ou les nuances de mélanine que l'on porte
et la quantité respective de chacune qui déterminent
la couleur de nos cheveux : blond, roux, brun ou noir.
Avec l'âge, toutefois, la production de mélanine
décroît, et les cheveux virent progressivement au gris.

▲ COMMENT ON DEVIENT CHAUVE

Plus d'un quart des hommes commencent à perdre leurs cheveux vers l'âge de 30 ans.
L'activité des follicules pileux du cuir chevelu est affectée par les hormones sexuelles mâles
et la régression de la surface chevelue s'établit selon un schéma précis. Les cheveux deviennent
d'abord courts et fins et leur durée de vie est réduite à quelques semaines. La chute commence
par les tempes puis, les années passant, gagne le front et, simultanément, l'arrière du crâne. Les
parties dénudées finissent par se rejoindre sur le sommet de la tête.

◀ RAIDES, ONDULÉS OU BOUCLÉS ?

L'aspect raide, ondulé ou bouclé de la chevelure dépend
de la forme du cheveu lui-même. Ainsi, un cheveu raide
présente une section ronde, tandis que celle d'un cheveu ondulé
est ovale. Un cheveu bouclé, quant à lui, est plat. Cette forme
dépend, à son tour, de la forme ronde, ovale ou plate
de la section du follicule car c'est ce dernier qui « moule »
le poil. De la même manière, la finesse du poil dépend
de la grosseur de l'ouverture du follicule.

Cheveu raide

Cheveu ondulé

Cheveu bouclé

Les parasites

Sans le savoir, nous transportons sur la peau toute une série de passagers clandestins, la plupart microscopiques. Ce sont le plus souvent des parasites qui se nourrissent des cellules, des sécrétions de la peau ou de sang. Nous portons tous également des milliards de bactéries et sommes nombreux à abriter des acariens des follicules, cousins éloignés des araignées. D'autres types de parasites moins fréquents nous attaquent parfois. Il peut s'agir d'acariens comme les tiques, ou de petits insectes comme les poux, fréquents chez les enfants, ou bien encore la puce de l'homme, beaucoup plus rare. Enfin, des champignons ou des sangsues se fixent parfois sur la peau.

❶ LES BACTÉRIES

Des milliards de bactéries vivent à la surface de la peau, notamment dans les parties sombres et humides du corps comme les aisselles. Elles ne posent généralement aucun problème, sauf si la peau est blessée et qu'elles pénètrent dans l'organisme. Le staphylocoque doré (*Staphylococcus aureus*), illustré ici, en fait partie. Il peut se multiplier dans les follicules pileux et d'autres endroits.

❷ LES ACARIENS DES FOLLICULES

La plupart des gens, notamment les plus âgés, sont porteurs de ces acariens inoffensifs de forme allongée, appelés *Demodex*. Microscopiques, ces animaux insèrent leur long corps, tête en bas, dans les follicules pileux, notamment ceux des cils. Ils s'y nourrissent de cellules de peau morte et de sécrétions huileuses. Leur système digestif est si efficace qu'ils ne rejettent aucun excrément. La nuit, ils peuvent sortir se promener sur le corps.

❸ LES CHAMPIGNONS

Le pied d'athlète, qui se traduit par des démangeaisons et la peau qui se fendille et se desquame entre les orteils, est une mycose courante, c'est-à-dire une infection par des champignons. C'est aussi le cas de la teigne annulaire, par exemple. Ces champignons microscopiques ont l'aspect de longs filaments qui se nourrissent des cellules de la peau. Ils produisent des fructifications (formes oblongues que l'on voit ici), lesquelles libèrent des spores et répandent le champignon.

❹ LES SANGSUES

Ces cousines aquatiques des vers de terre sont des suceuses de sang. Elles se fixent sur le corps à l'aide d'une puissante ventouse entourant leur bouche. Trois mandibules en forme de lames coupent ensuite la peau sans que l'on ressente de douleur et elles commencent à pomper le sang, aidées par une substance anticoagulante contenue dans leur salive. On les attrape en se baignant peau nue dans les eaux stagnantes où elles vivent généralement.

❺ LA PUCE DE L'HOMME

La puce de l'homme possède des pièces buccales acérées pour percer la peau et sucer le sang, ce qui provoque des démangeaisons. Une fois repus, ces minuscules insectes ne s'attardent pas sur leur hôte. Incapables de voler, ils se servent de leurs puissantes pattes postérieures pour sauter sur quelqu'un d'autre, effectuant des bons gigantesques qui équivaudraient, pour l'homme, à sauter par-dessus de grands bâtiments.

❻ LE POU DE TÊTE

Agrippé à un cheveu à l'aide de ses griffes incurvées, ce pou de tête ne sera éliminé ni par peignage, ni par lavage, pas plus que ses œufs, appelés lentes, fermement collés sur la tige du cheveu. Pour se nourrir, le pou descend sur le cuir chevelu, perce la peau et suce le sang. Cet insecte dépourvu d'ailes se répand facilement d'un hôte à l'autre, chez les enfants notamment, lorsque les chevelures entrent en contact.

❼ L'AOÛTAT

L'aoûtat adulte, un acarien à huit pattes qui se nourrit de végétaux, est inoffensif, mais sa larve microscopique illustrée ici, pourvue quant à elle de six pattes, peut devenir une véritable nuisance. Elle introduit sa tête dans les follicules pileux où elle sécrète un fluide qui transforme les cellules de la peau en liquide nourricier qu'elle aspire. Elle provoque ainsi de fortes démangeaisons et des boutons rouges. On peut l'attraper en se promenant dans les hautes herbes.

❽ LE SARCOPTE

Ce minuscule acarien est photographié ici sur de la peau humaine. Après l'accouplement, les femelles s'enfouissent dans l'épiderme où elles pondent leurs œufs. Des œufs sortent des larves qui se répandent facilement d'une personne à l'autre. La présence dans la peau des galeries, des larves, de la salive et des excréments de ces acariens provoque une insupportable démangeaison que l'on appelle la gale.

❾ LA TIQUE

Gonflée de sang, cette tique vient de se détacher de son hôte pour digérer son repas. Cet acarien perce la peau de l'homme et des animaux grâce à des pièces buccales spéciales qui lui permettent de rester fixé pendant des jours. Fermement attachée, la tique enfle énormément à mesure qu'elle aspire le sang.

Une vie d'homme

Toute personne, pourvu qu'elle jouisse d'une durée de vie normale, connaît la même séquence de changements physiques et mentaux depuis la prime jeunesse jusqu'à la vieillesse. Une vie d'homme commence par un développement et un apprentissage rapides aux stades du nourrisson puis de l'enfant. Ensuite, interviennent les grands changements de l'adolescence durant les années où l'on passe de l'enfance à l'âge adulte. En tant qu'adulte, nous connaissons l'âge de la maturité avant d'aller lentement vers la vieillesse, avec tous les ralentissements qu'elle impose.

❶ LE NOURRISSON

Durant leur première année de vie, les enfants des hommes connaissent une croissance rapide en termes de taille et de poids mais restent dépendants de leurs parents pour les soins, l'alimentation et la protection. À mesure que leurs os et leurs muscles se développent, ils commencent à saisir des objets, à mastiquer et à marcher, d'abord à quatre pattes puis, vers 12 mois, sur leurs jambes. Le développement de leur encéphale leur permet de comprendre des ordres simples et de prononcer leurs premiers mots.

❷ L'ENFANT

De la petite enfance à la préadolescence, la croissance est plus graduelle qu'au stade du nourrisson, mais durant cette période, le jeune humain acquiert rapidement des aptitudes et des connaissances nouvelles. Il développe son comportement social, apprend à s'autodiscipliner et à comprendre les autres, à parler, lire et écrire couramment, et développe sa capacité à courir et à pratiquer des jeux.

❸ L'ADOLESCENT

L'adolescence est un stade au cours duquel le corps, le comportement et les émotions connaissent de profonds changements. Les plus manifestes sont les modifications physiques liées à la puberté. Celles-ci sont déclenchées par les hormones et commencent, chez les filles, entre 10 et 12 ans, chez les garçons entre 12 et 14 ans. Les filles grandissent vite et acquièrent une silhouette de femme. Les garçons connaissent aussi une poussée de croissance, devenant plus larges d'épaules et plus musclés.

❹ LE JEUNE ADULTE

La vingtaine et la trentaine marquent une étape de la vie ; celle où le corps, désormais pleinement développé, atteint le summum de la forme physique et de la santé. C'est l'âge où l'on acquiert pour la première fois une véritable indépendance, où l'on peut se déplacer librement et se faire des amis, donner des orientations à sa carrière professionnelle et acquérir un moyen de subsistance. C'est aussi l'époque de la fertilité maximale, où beaucoup fondent une famille.

❺ L'ÂGE MÛR

Durant la quarantaine et la cinquantaine, l'organisme a atteint sa maturité mais il est encore en bonne santé, notamment si un exercice physique régulier, débuté dans la jeunesse, est pratiqué. Néanmoins, les premiers signes de l'âge apparaissent. La capacité de raisonnement a atteint son pic et les années d'expérience confèrent à l'individu la sagesse dans ses décisions. Les enfants que l'on a eus plus jeune commencent à quitter la maison.

❻ LE TROISIÈME ÂGE

Vers le début de la soixantaine, les signes de l'âge deviennent plus visibles. La vue et l'ouïe perdent de leur efficacité, la peau est moins élastique et se ride, les cheveux sont plus fins et virent au gris. Les articulations se font plus raides et les os deviennent parfois plus fragiles. On est plus sujet aux maladies telles que les cancers et les troubles cardiovasculaires. Bon nombre des effets de l'âge sont néanmoins atténués par un régime alimentaire équilibré et un exercice physique régulier.

La reproduction

Quelle que soit leur apparence extérieure et leurs différences, les organismes humains sont tous bâtis exactement de la même manière. La seule exception réside dans le système reproducteur, qui divise l'espèce en deux groupes : celui des mâles et celui des femelles. Les deux systèmes produisent des cellules sexuelles permettant aux individus adultes d'avoir des enfants qui les remplaceront à mesure qu'ils vieilliront et mourront. Les cellules sexuelles des mâles sont appelées spermatozoïdes, celles des femelles, ovules. Lorsqu'un spermatozoïde et un ovule se rencontrent, ils fusionnent pour produire un œuf qui donnera un nouvel être humain.

▼ L'APPAREIL REPRODUCTEUR FEMELLE

L'appareil reproducteur de la femme est constitué par deux ovaires reliés chacun à l'utérus par une trompe de Fallope. L'utérus est une cavité qui s'ouvre sur l'extérieur à sa base par l'intermédiaire du col de l'utérus et du vagin. Chaque mois, un seul des deux ovaires produit un ovule qui commence à descendre par la trompe de Fallope vers l'utérus. Si l'ovule est fécondé par un spermatozoïde, il se fixera dans la paroi de l'utérus et se développera en fœtus. À la naissance, le bébé est expulsé hors de l'utérus par le vagin.

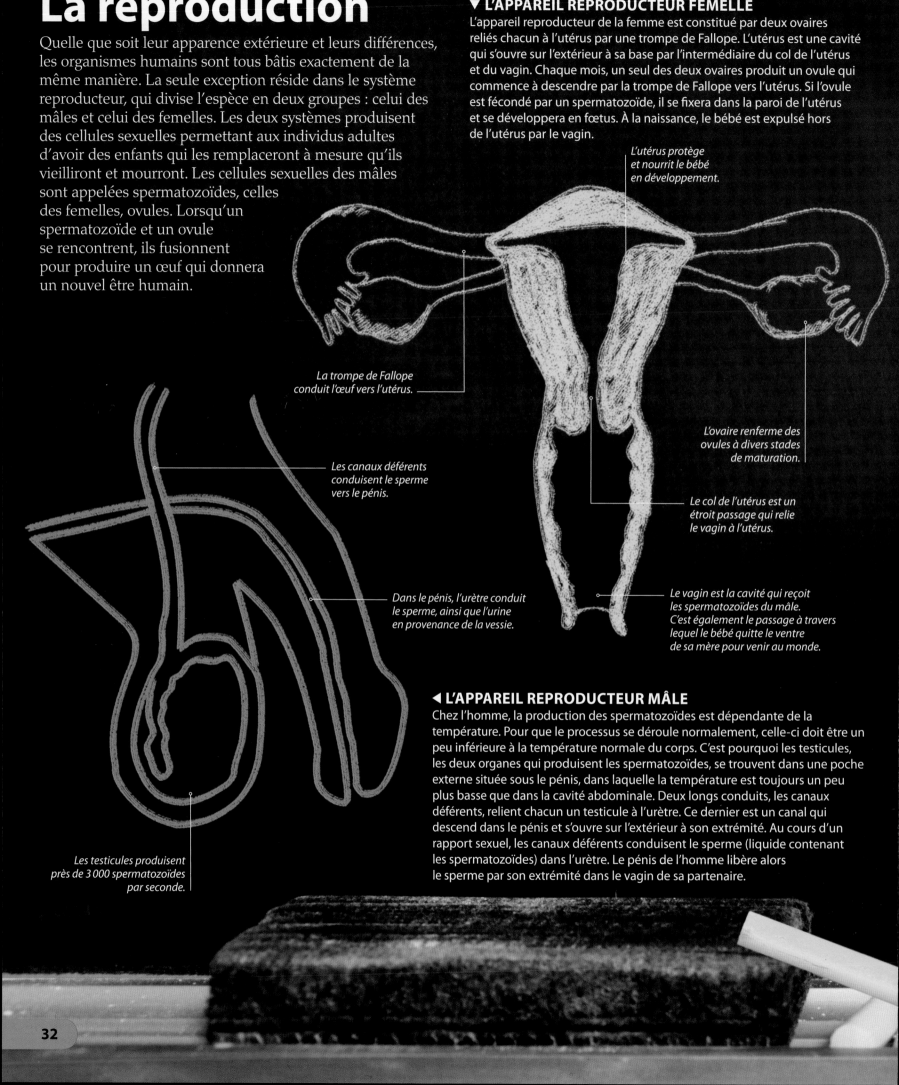

L'utérus protège et nourrit le bébé en développement.

La trompe de Fallope conduit l'œuf vers l'utérus.

L'ovaire renferme des ovules à divers stades de maturation.

Les canaux déférents conduisent le sperme vers le pénis.

Le col de l'utérus est un étroit passage qui relie le vagin à l'utérus.

Dans le pénis, l'urètre conduit le sperme, ainsi que l'urine en provenance de la vessie.

Le vagin est la cavité qui reçoit les spermatozoïdes du mâle. C'est également le passage à travers lequel le bébé quitte le ventre de sa mère pour venir au monde.

◄ L'APPAREIL REPRODUCTEUR MÂLE

Chez l'homme, la production des spermatozoïdes est dépendante de la température. Pour que le processus se déroule normalement, celle-ci doit être un peu inférieure à la température normale du corps. C'est pourquoi les testicules, les deux organes qui produisent les spermatozoïdes, se trouvent dans une poche externe située sous le pénis, dans laquelle la température est toujours un peu plus basse que dans la cavité abdominale. Deux longs conduits, les canaux déférents, relient chacun un testicule à l'urètre. Ce dernier est un canal qui descend dans le pénis et s'ouvre sur l'extérieur à son extrémité. Au cours d'un rapport sexuel, les canaux déférents conduisent le sperme (liquide contenant les spermatozoïdes) dans l'urètre. Le pénis de l'homme libère alors le sperme par son extrémité dans le vagin de sa partenaire.

Les testicules produisent près de 3 000 spermatozoïdes par seconde.

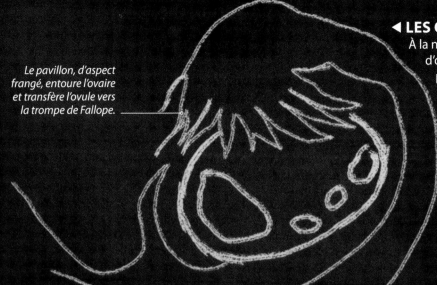

◀ LES OVAIRES

À la naissance, les ovaires d'une fille contiennent la réserve complète de milliers d'ovules – à l'état immature– qu'elle produira au cours de sa vie. Une fois la puberté atteinte, plusieurs ovules entrent successivement en maturation tous les mois, mais un seul parvient à maturité pour être libéré dans la trompe de Fallope. Cette dernière conduit l'ovule vers l'utérus. Dans le même temps, la paroi interne de l'utérus s'épaissit en se gonflant de sang pour se préparer à recevoir l'œuf au cas où l'ovule serait fécondé par un spermatozoïde. Le plus souvent, cela ne se produit pas et la partie en excès de la paroi utérine est éliminée par le vagin avec le sang qu'elle contient au cours des règles.

Le pavillon, d'aspect frangé, entoure l'ovaire et transfère l'ovule vers la trompe de Fallope.

L'épididyme stocke le sperme.

Trompe de Fallope

Canal efférent

LES TESTICULES ▶

Dans le testicule, les spermatozoïdes sont fabriqués à l'intérieur de minuscules tubes très contournés, les tubes séminifères. Chaque testicule contient environ 500 m de tubes séminifères. À partir de la puberté, environ 250 millions de spermatozoïdes y sont produits chaque jour. Les spermatozoïdes immatures passent ensuite par les canaux efférents pour atteindre l'épididyme. Là, ils séjournent trois semaines durant lesquelles ils achèvent leur maturation et commencent à se mettre en mouvement. Ils sont ensuite poussés vers le canal déférent.

▼ LES SPERMATOZOÏDES

Une fois l'appareil reproducteur mâle mis en route au moment de la puberté, les testicules commencent à produire des spermatozoïdes. Ceux-ci, tout comme les ovules, sont fabriqués au cours d'un type particulier de division cellulaire appelé méiose. Ce processus donne naissance à des cellules sexuelles dotées de 23 chromosomes, c'est-à-dire la moitié du nombre contenu par les cellules ordinaires. De ce fait, lorsque le spermatozoïde fusionne avec l'ovule lors de la fécondation, l'œuf qui en résulte retrouve le nombre normal de 46 chromosomes.

Tubes séminifères à l'intérieur du testicule

Long flagelle permettant au spermatozoïde de se déplacer

◀ LES OVULES

Contrairement aux spermatozoïdes qui sont émis par millions, les ovules sont libérés à raison d'un par mois. Leur production débute à la puberté et s'achève à la ménopause, période de la vie d'une femme où celle-ci cesse de pouvoir faire des enfants, vers le début de la cinquantaine. Les ovules sont de grosses cellules qui, contrairement aux spermatozoïdes, ne peuvent se déplacer activement. Comme les spermatozoïdes, ils ne contiennent que 23 chromosomes.

L'ovule est la plus grosse cellule du corps humain, mesurant 0,1 mm de diamètre.

La fécondation

Pour donner naissance à une nouvelle vie humaine, un spermatozoïde doit fusionner avec un ovule. Ce processus, appelé fécondation, produit un œuf doté de la totalité du stock de chromosomes, une moitié lui venant du père, l'autre de la mère. En quelques jours, une petite sphère de cellules issues de l'œuf fécondé parvient dans l'utérus et s'y implante. C'est là qu'elle va se développer pour donner d'abord un embryon, puis un fœtus et enfin un bébé achevé. Cette phase de la grossesse, qui débute avec la fécondation et s'achève avec l'implantation, est appelée la conception.

❶ LES SPERMATOZOÏDES

Ces cellules sexuelles mâles à la silhouette allongée sont parfaitement adaptées à leur rôle de transporteur d'information génétique. Chaque spermatozoïde est constitué d'une tête ovale et aplatie, d'une pièce intermédiaire (en rose), et d'une longue queue appelée flagelle. La tête transporte un stock de 23 chromosomes. Le flagelle, en battant d'un côté à l'autre, propulse le spermatozoïde à travers l'appareil reproducteur femelle en direction de l'ovule. C'est dans la pièce intermédiaire qu'est produite l'énergie qui alimente le flagelle.

❷ L'OVULE

L'ovule est une cellule sphérique beaucoup plus grosse que les spermatozoïdes et qui ne peut se déplacer seule. Sa membrane cellulaire est enveloppée d'une épaisse couche appelée zone pellucide. Le noyau de l'ovule, comme la tête du spermatozoïde, renferme 23 chromosomes. Une fois libéré par l'ovaire, un ovule doit être fécondé dans les 24 heures.

❸ DANS LA TROMPE DE FALLOPE

Ce canal étroit reçoit l'ovule libéré par l'ovaire et le transporte vers l'utérus. Des cils vibratiles qui en garnissent la paroi interne (en vert) poussent l'ovule dans la bonne direction. C'est dans la trompe de Fallope que se produit la fécondation lorsque les spermatozoïdes, remontant depuis l'utérus, rencontrent l'ovule.

❹ LA FÉCONDATION

Peu de spermatozoïdes survivent au voyage à travers l'utérus vers la trompe de Fallope. Lorsque les survivants rencontrent l'ovule, ils s'amassent autour de lui, sécrétant des enzymes pour pénétrer les couches externes de la grosse cellule. Finalement, un seul parvient à passer. Il perd immédiatement son flagelle et sa tête fusionne avec le noyau de l'ovule. Une fois la fécondation survenue, aucun autre spermatozoïde ne peut plus pénétrer dans l'ovule.

L'information génétique est stockée dans la tête du spermatozoïde.

300 millions de spermatozoïdes libérés

10 000 spermatozoïdes pénètrent dans l'utérus.

Jusqu'à 3 000 spermatozoïdes atteignent le haut de l'utérus.

La moitié entrent dans la bonne trompe de Fallope.

Zone pellucide

Quelques centaines de spermatozoïdes atteignent l'ovule.

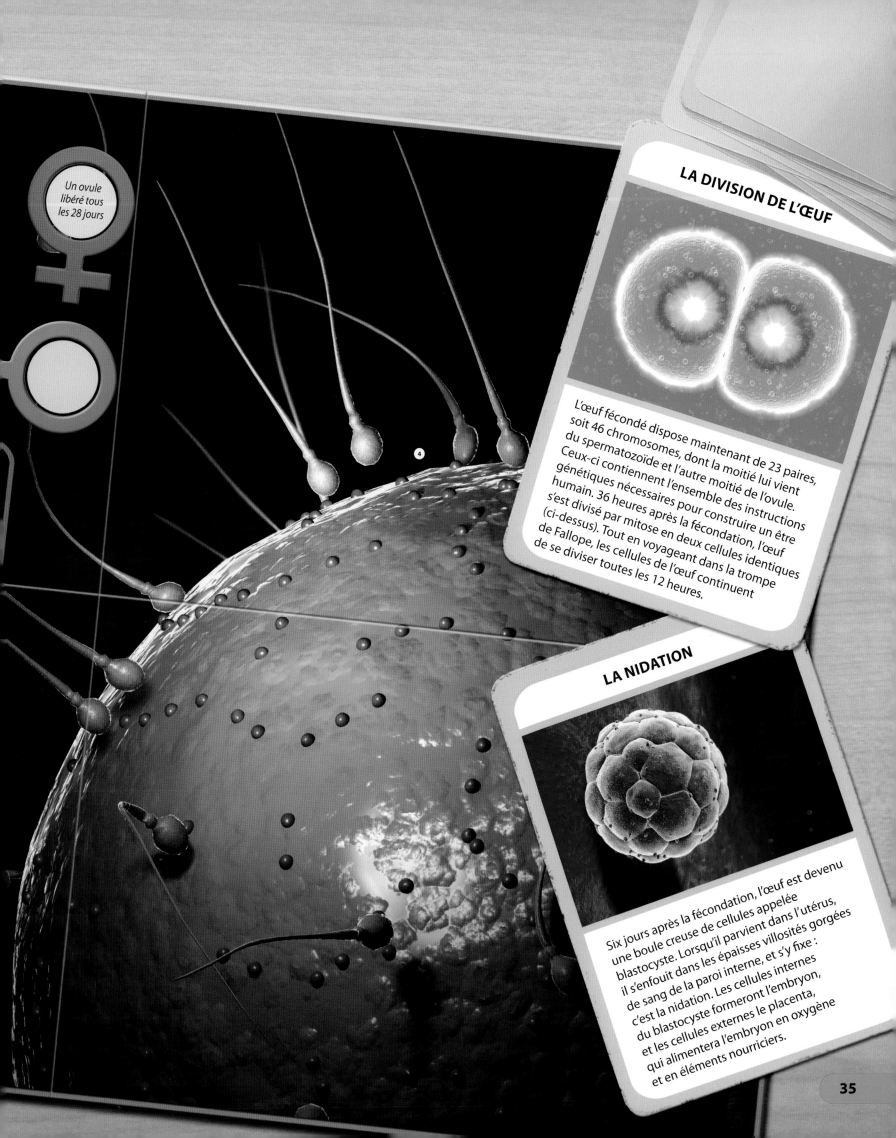

Un ovule libéré tous les 28 jours

④

LA DIVISION DE L'ŒUF

L'œuf fécondé dispose maintenant de 23 paires, soit 46 chromosomes, dont la moitié lui vient du spermatozoïde et l'autre moitié de l'ovule. Ceux-ci contiennent l'ensemble des instructions génétiques nécessaires pour construire un être humain. 36 heures après la fécondation, l'œuf s'est divisé par mitose en deux cellules identiques (ci-dessus). Tout en voyageant dans la trompe de Fallope, les cellules de l'œuf continuent de se diviser toutes les 12 heures.

LA NIDATION

Six jours après la fécondation, l'œuf est devenu une boule creuse de cellules appelée blastocyste. Lorsqu'il parvient dans l'utérus, il s'enfouit dans les épaisses villosités gorgées de sang de la paroi interne, et s'y fixe : c'est la nidation. Les cellules internes du blastocyste formeront l'embryon, et les cellules externes le placenta, qui alimentera l'embryon en oxygène et en éléments nourriciers.

La grossesse

Quelque sept jours après la fécondation, l'œuf, devenu une petite boule creuse de cellules, s'enfouit dans l'épaisse paroi de l'utérus de sa mère, entreprenant ainsi un processus de développement de 38 à 40 semaines appelé grossesse. Alimenté et maintenu au chaud dans un sac rempli de liquide, protégé par la paroi utérine, le minuscule embryon – tel qu'il est nommé dans ses premiers stades de croissance – grossit rapidement. Il va d'abord se transformer en fœtus, aux formes humaines désormais parfaitement identifiables. Au terme de son développement, ce sera un bébé achevé qui, ayant atteint sa pleine taille, sortira du ventre de sa mère.

4e SEMAINE

Quatre semaines après la fécondation, l'embryon, de la taille d'un pois, a la forme d'un C avec un renflement dans la région de la tête, et une queue à l'autre extrémité. Malgré sa petite taille, il possède un cœur qui bat. Son système nerveux et ses organes vitaux tels que le foie et le pancréas sont en formation.

6e SEMAINE

De la taille d'un petit raisin, l'embryon grossit à mesure que témoignent son encéphale, ses yeux – comme emplacement de petites taches et les yeux qui grossissent à leur emplacement ; la bouche, le nez et la forme essentiels en formation. Ses narines sont désormais visibles où se dessinent les organes mais une croissance se développement et tous les systèmes est rapide organisme se son organisme de son développement en de sa mère.

De la taille d'un petit raisin, l'embryon présente maintenant ses yeux. L'embryon présente maintenant ses yeux, que croît son encéphale ; son visage et ses jambes en croissance. Ses bras et ses jambes, les anneaux également en croissance. Ses nageoires s'y voient et les organes essentiels en formation où se dessinent les organes mais une forme essentiels en formation se développement et tous les systèmes sont désormais bien visibles et son organisme est rapide développement.

8e SEMAINE

Appelé maintenant fœtus, le bébé en développement est de la taille d'une fraise et flotte dans un sac rempli de liquide amniotique. Il est relié à l'organisme de sa mère par un cordon ombilical grâce auquel il reçoit oxygène et éléments nourriciers. De forme humaine désormais reconnaissable, il présente des embryons de doigts et d'orteils, des membres articulés. Ses os durcissent et ses reins produisent de l'urine.

10e SEMAINE

Constitué maintenant de milliards de cellules plus gros que l'œuf fécondé, le fœtus mesure plus 4 cm de long. Dans son et 500 fois quelque, l'encéphale produit mesure proéminent, le front nouveaux formés 250 000 neurones nouveaux front proéminent, l'encéphale minute. Les doigts poussent et leurs ongles poussent.

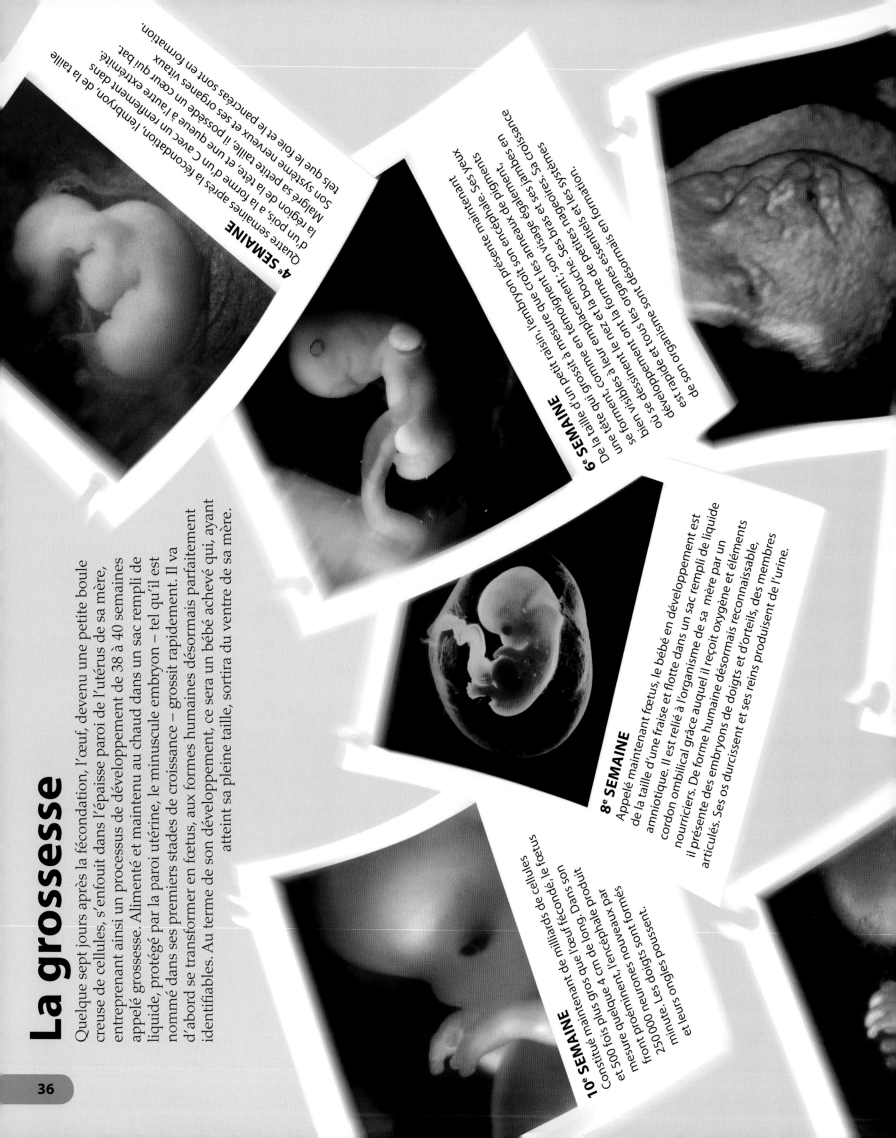

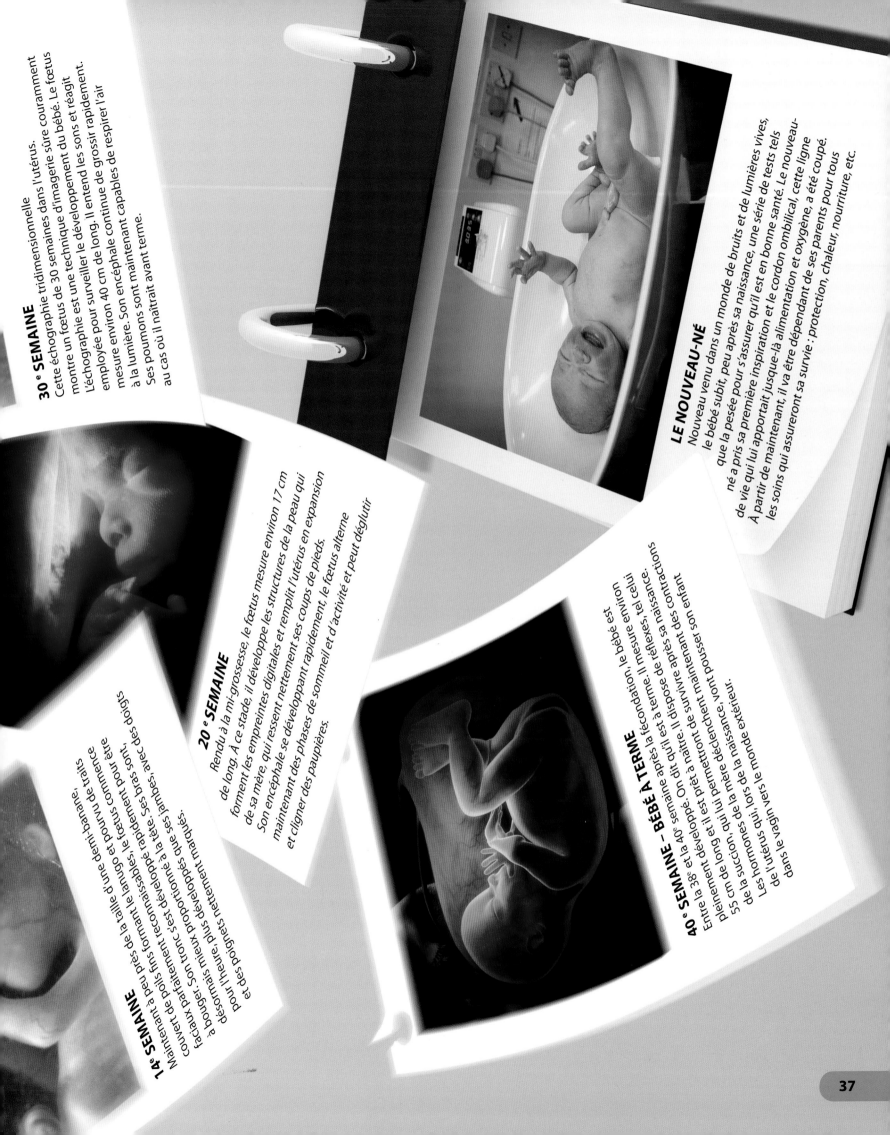

30ᵉ SEMAINE

Cette échographie tridimensionnelle
Cette échographie de 30 semaines montre dans l'utérus. Le fœtus montre un fœtus tridimensionnelle une technique d'imagerie sûre couramment employée pour surveiller le développement du bébé. Le fœtus mesure environ 40 cm de long. Il entend les sons et réagit à la lumière. Son encéphale continue de grossir rapidement à la lumière. Ses poumons sont maintenant capables de respirer l'air au cas où il naîtrait avant terme.

LE NOUVEAU-NÉ

Nouveau venu dans un monde de bruits et de lumières vives, le bébé subit, peu après sa naissance, une série de tests tels que la pesée pour s'assurer qu'il est en bonne santé. Le nouveau-né a pris sa première inspiration et le cordon ombilical, cette ligne de vie qui lui apportait jusque-là l'alimentation et oxygène, a été coupé. À partir de maintenant, il va être dépendant de ses parents pour tous les soins qui assureront sa survie : protection, chaleur, nourriture, etc.

14ᵉ SEMAINE

Maintenant à peu près de la taille d'une demi-banane, le fœtus est désormais couvert de poils fins formant le lanugo, le fœtus commence à bouger. Son tronc s'est développé à la tête. Ses bras sont, désormais, plus développés que ses jambes, avec des doigts faciaux parfaitement reconnaissables rapidement pour être pour l'heure, plus développés marqués, et des poignets nettement marqués.

20ᵉ SEMAINE

Rendu à la mi-grossesse, le fœtus mesure environ 17 cm de long. À ce stade, il développe les structures de la peau qui forment les empreintes digitales et remplit l'utérus en expansion de sa mère, qui ressent nettement ses coups de pieds. Son encéphale se développant rapidement, le fœtus alterne maintenant des phases de sommeil et d'activité et peut déglutir et cligner des paupières.

40ᵉ SEMAINE – BÉBÉ À TERME

Entre la 38ᵉ et la 40ᵉ semaine. On dit qu'il est à naître. Il dispose de réflexes, tel celui pleinement développé et il est prêt à naître. Il dispose de réflexes, tel celui 55 cm de long, qui lui permettront de survivre après des contractions de la succion, lors de la naissance. Le nouveau-né maintenant pousser son enfant Les hormones qui, lors de la naissance, vont déclencher maintenant son enfant de l'utérus vers le monde extérieur. dans le vagin vers le monde extérieur.

L'hérédité

Nos principaux traits physiques et de caractère sont dus en grande partie aux gènes hérités de nos parents. L'ovule de la mère et le spermatozoïde du père sont tous deux pourvus de la moitié de leurs propres chromosomes, ces molécules d'ADN porteuses des gènes. En fusionnant lors de la fécondation, les deux cellules sexuelles mêlent leurs stocks chromosomiques et en recréent un jeu complet, doté d'un mélange des gènes paternels et maternels. L'enfant hérite donc de ses parents une combinaison unique de gènes qui fait qu'il leur ressemblera, mais fera également de lui un être humain unique au monde.

LES CHROMOSOMES ▼

Au sein du noyau de chaque cellule du corps humain se trouvent 46 chromosomes groupés en 23 paires. Chacun est constitué d'un long brin d'ADN. Lorsqu'une cellule est sur le point de se diviser, les brins d'ADN, en temps normal longs et fins, se spiralent de nombreuses fois sur eux-mêmes et se dupliquent pour former des chromosomes en forme de X, comme on le voit ici. Dans chaque paire de chromosomes, l'un vient de la mère et l'autre du père, et chacun des deux porte les gènes de même fonction aux mêmes endroits.

Chaque chromosome contient de très nombreux gènes.

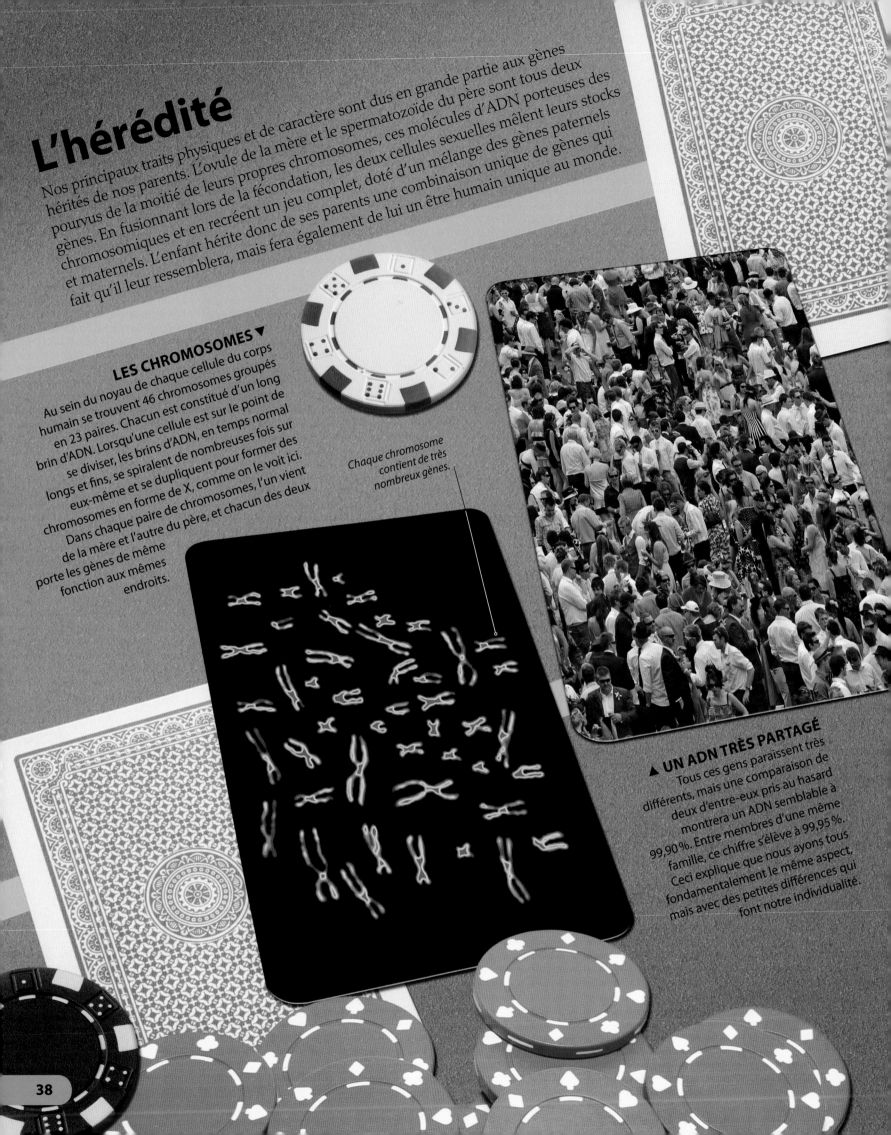

▲ UN ADN TRÈS PARTAGÉ

Tous ces gens paraissent très différents, mais une comparaison de deux d'entre-eux pris au hasard montrera un ADN semblable à 99,90 %. Entre membres d'une même famille, ce chiffre s'élève à 99,95 %. Ceci explique que nous ayons tous fondamentalement le même aspect, mais avec des petites différences qui font notre individualité.

◄ AU SEIN DES FAMILLES

Il est souvent assez facile de reconnaître les membres d'une même famille parce qu'ils se ressemblent physiquement, tout en présentant des différences. Les enfants héritent d'un jeu d'instructions génétiques de leur mère et d'un jeu de leur père. Chacun possède donc une combinaison génétique unique qui fait qu'il ressemblera plutôt à son père ou à sa mère, mais possédera également des caractères qui lui sont propres.

LE CAS DES JUMEAUX ▼

Les mères humaines portent généralement un seul bébé à la fois mais, environ une fois sur soixante, donnent naissance à des jumeaux. Certains jumeaux, comme ces deux sœurs, sont identiques. Ils partagent exactement les mêmes gènes parce que, juste après la fécondation, l'unique œuf dont ils sont issus s'est séparé en deux cellules identiques. On dit que ce sont de vrais jumeaux. Mais la plupart ne sont pas identiques car ils sont issus de deux ovules différents, fécondés au même moment par deux spermatozoïdes différents. Ce sont, dans ce cas, de faux jumeaux qui peuvent être de sexes différents et ne se ressemblent pas plus que des frères et sœurs ordinaires.

◄ DOMINANT OU RÉCESSIF ?

Les gènes qu'un enfant hérite de ses parents peuvent être de différentes versions, appelées allèles, ceux-ci étant soit dominants, soit récessifs. Lorsque l'allèle dominant d'un gène, comme celui qui permet à la langue de s'enrouler, est hérité d'un seul des deux parents, est hérité sa langue. Un allèle récessif d'un gène, comme celui qui rend impossible l'enroulement de la langue, doit être hérité des deux parents pour pouvoir s'exprimer. Et dans ce cas, l'enfant ne pourra pas enrouler sa langue.

CENTRE DE TRAITEMENT
Les cellules du cerveau relaient
les influx à très haute vitesse qui
pilotent l'activité de l'organisme.
Ceux-ci contrôlent, entre autres,
les muscles actionnant le
squelette ainsi que les messages
sensoriels qui nous renseignent
sur l'état du milieu environnant.

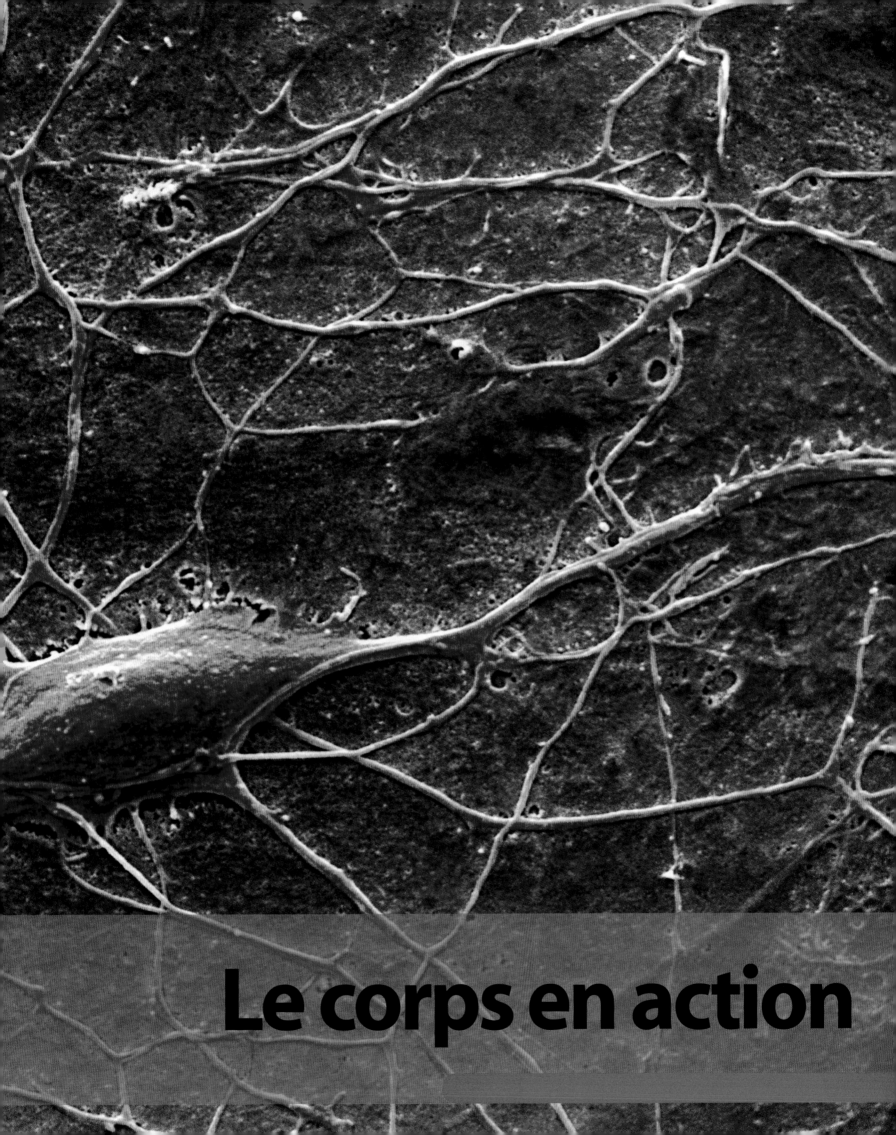

Le corps en action

L'armature osseuse

Sans l'armature interne offerte par les os, notre corps s'affalerait en un tas informe de tissus mous. Non seulement le squelette soutient et donne sa silhouette à l'organisme, mais il protège également les organes vitaux tels que le cœur et l'encéphale. En outre, le squelette est mobile grâce aux articulations entre les os. Ces derniers offrent des points d'attache aux muscles qui nous permettent une vaste gamme de mouvements. Quelques parties du corps, comme le nez et les oreilles, sont néanmoins soutenues par de simples cartilages souples.

▼ LA COLONNE VERTÉBRALE

Un empilement de 26 os de structure particulière, appelés vertèbres, forme la colonne vertébrale. Ces vertèbres sont séparées par des disques de cartilage constitués d'un pourtour robuste et d'un centre compressible. Les disques intervertébraux n'autorisent qu'un mouvement limité entre chaque paire de vertèbres. L'ensemble, pourtant, confère à la colonne une considérable souplesse, qui lui permet de pivoter et de se courber latéralement et d'avant en arrière. Les disques font aussi office d'absorbeurs de chocs lors de la marche, la course et le saut.

LE SQUELETTE ▶

Constituant environ 20% du poids du corps, le squelette d'un adulte est composé de 206 os. La partie centrale, appelée squelette axial, compte 80 os constituant la colonne vertébrale et tout ce qui s'y rattache directement : le crâne, les côtes et le sternum. Les 126 os restants forment le squelette appendiculaire, c'est-à-dire les bras, les jambes et les ceintures pectorale (ou scapulaire) et pelvienne qui relient les membres au squelette axial. Les fémurs, par exemple, se rattachent à la robuste ceinture pelvienne composant le bassin.

▼ LE PAVILLON DE L'OREILLE

Le pavillon de l'oreille en forme de coquille dirige les ondes sonores vers l'oreille interne, siège de l'audition. Il est soutenu par un cartilage souple qui combine robustesse et élasticité. Si l'on rabat le pavillon vers l'avant, il revient immédiatement en position dès qu'on le lâche. C'est également un cartilage élastique qui soutient l'épiglotte, le clapet au fond du pharynx, qui empêche la nourriture de descendre dans les poumons lorsqu'on l'avale.

LE SUPPORT DU NEZ ▶

Le nez a une armature à la fois osseuse et cartilagineuse. Sa partie supérieure, l'arête du nez, est formée par les os du crâne, mais c'est une structure de cartilage hyalin qui donne à l'extrémité sa forme et sa souplesse. À la fois ferme et élastique, le cartilage hyalin est le type de cartilage le plus commun dans l'organisme. Il recouvre également l'extrémité des os dans les articulations, connecte les côtes au sternum et forme le squelette des bébés en développement.

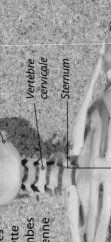

Crâne

Mâchoire inférieure

Vertèbre cervicale

Sternum

Côte

Vertèbre lombaire

Humérus

Radius

Cubitus

Ceinture pelvienne

Carpe

Métacarpe

Phalange

Femur

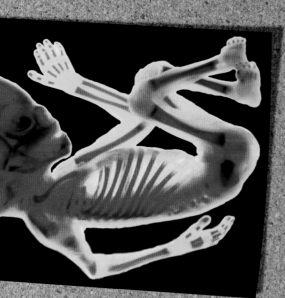

Tibia

Péroné

Tarse

Métatarse

LE SQUELETTE EN DÉVELOPPEMENT ▶

Le squelette commence à se développer très tôt chez le bébé dans le ventre de sa mère. Les os, lors de leur formation, sont d'abord constitués de cartilage. Au cours de la croissance, un processus d'ossification intervient, durant lequel le cartilage est graduellement remplacé par de l'os. Sur cette radiographie d'un fœtus de 14 semaines, on voit les os en rouge tandis que les cartilages ne sont pas colorés. L'ossification se poursuit après la naissance tandis que le squelette grandit ; elle est achevée vers la fin de l'adolescence.

▼ LE BASSIN DE LA FEMME ET DE L'HOMME

Outre le fait qu'il constitue le point d'attache des deux fémurs, le bassin supporte et protège les organes de la base de l'abdomen. Il est constitué de deux os pelviens qui, ensemble, forment la ceinture pelvienne, ainsi que du sacrum, qui fait partie de la colonne vertébrale. La forme du bassin diffère entre la femme et l'homme. Son ouverture centrale, en particulier, est plus large chez la femme afin de laisser assez de place pour le passage de la tête des bébés au moment de la naissance.

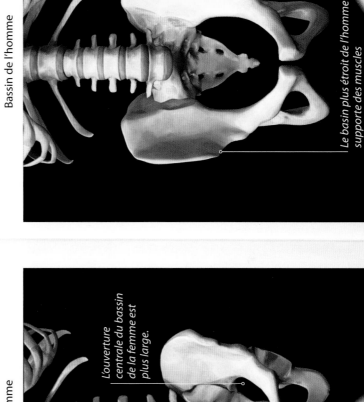

Bassin de l'homme

Le basin plus étroit de l'homme supporte des muscles plus puissants.

Bassin de la femme

L'ouverture centrale du bassin de la femme est plus large.

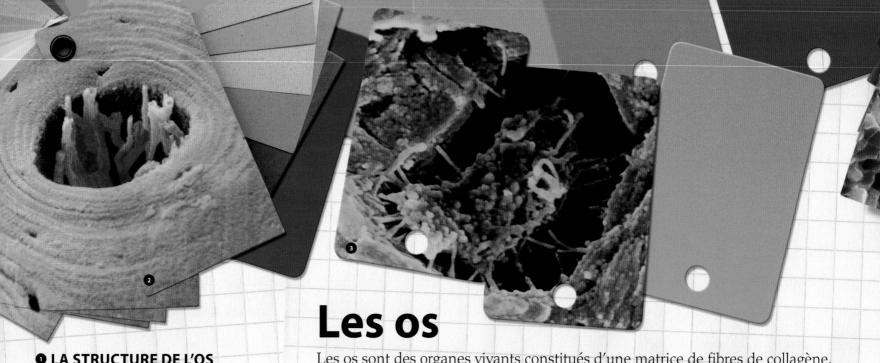

Les os

Les os sont des organes vivants constitués d'une matrice de fibres de collagène, qui leur apporte la solidité en même temps qu'une légère élasticité, ainsi que de sels minéraux, en particulier du phosphate de calcium qui leur confère leur dureté. Cette matrice est fabriquée et entretenue par les cellules osseuses. Les os sont à la fois robustes et légers parce que le tissu osseux dense et lourd ne se rencontre qu'à leur périphérie, l'intérieur étant constitué d'os spongieux plus léger. Outre leur rôle de support pour l'organisme, les os sont le siège de la production des cellules sanguines et constituent des réserves de calcium.

❶ LA STRUCTURE DE L'OS

Cette vue en coupe d'un os long tel que l'humérus en révèle la structure. Les os longs présentent une partie centrale appelée diaphyse et deux extrémités plus larges appelées épiphyses qui forment les articulations avec les autres os. En dessous d'une couche externe constituée d'os compact se trouve une masse d'os spongieux plus léger. Au centre figure une cavité remplie de moelle osseuse. L'os est recouvert d'une membrane appelée périoste.

❷ L'OS COMPACT

L'os compact, dense, est composé d'unités allongées « porteuses » appelées ostéones – l'ostéone illustré ici est vu en coupe par le milieu – disposées parallèlement dans la longueur de l'os. Chaque ostéone est constitué de tubes concentriques de matrice osseuse, une structure qui leur confère dureté et robustesse. Dans le canal central passent des vaisseaux sanguins qui alimentent les cellules osseuses.

❸ LES OSTÉOCYTES

Ces cellules osseuses d'aspect hérissé sont localisées dans des loges individuelles au sein de la matrice osseuse. Par leur activité, elles entretiennent l'os. Les ostéocytes sont en contact entre eux et avec les vaisseaux sanguins par l'intermédiaire de minuscules extensions passant par d'étroits canaux parcourant l'os. Ils sont ainsi alimentés en oxygène et en éléments nourriciers et peuvent se débarrasser des résidus de leur métabolisme.

Le réseau de trabécules, séparées par un labyrinthe d'espaces remplis de moelle, constitue une structure porteuse.

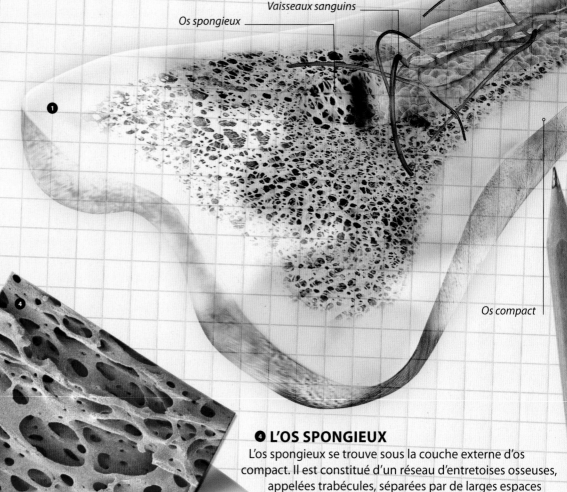

Os spongieux

Vaisseaux sanguins

Os compact

❹ L'OS SPONGIEUX

L'os spongieux se trouve sous la couche externe d'os compact. Il est constitué d'un réseau d'entretoises osseuses, appelées trabécules, séparées par de larges espaces généralement remplis de moelle osseuse. Cette structure lacunaire rend l'os spongieux beaucoup plus léger que l'os compact, mais il reste néanmoins très robuste.

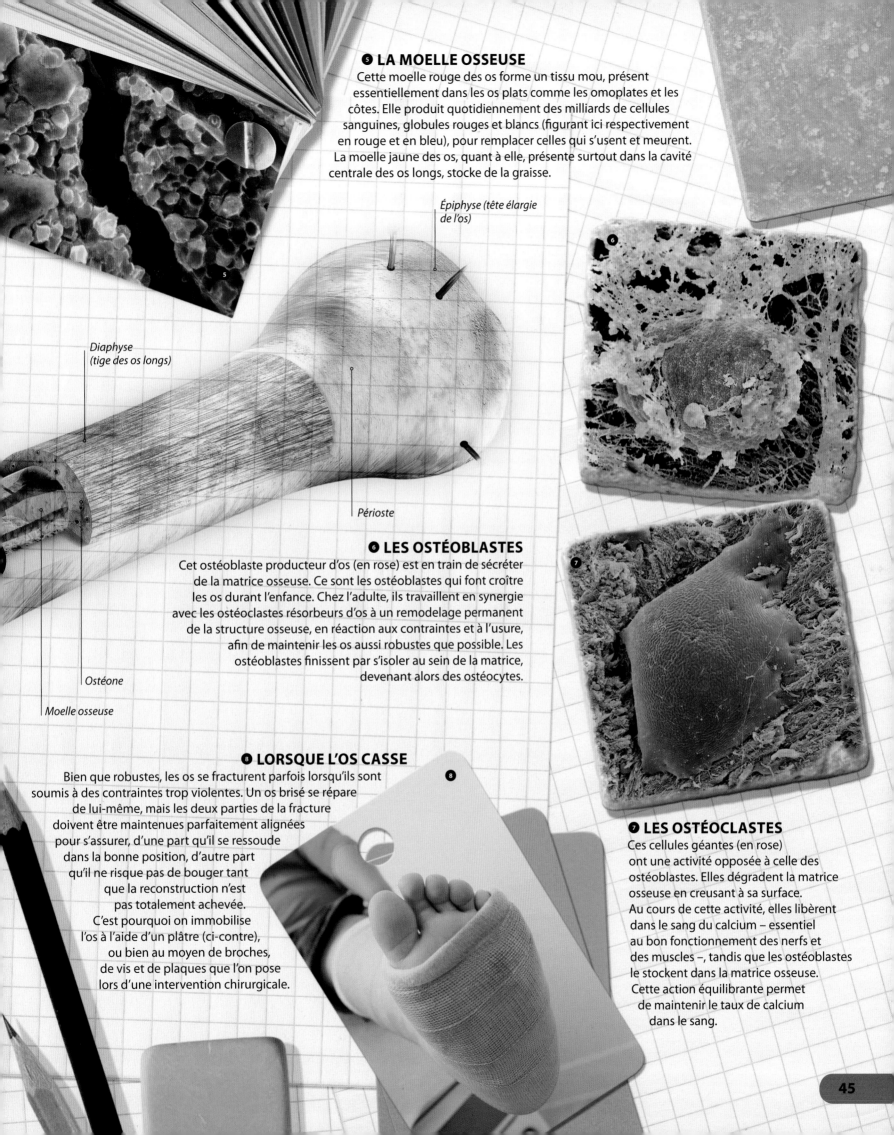

❺ LA MOELLE OSSEUSE

Cette moelle rouge des os forme un tissu mou, présent essentiellement dans les os plats comme les omoplates et les côtes. Elle produit quotidiennement des milliards de cellules sanguines, globules rouges et blancs (figurant ici respectivement en rouge et en bleu), pour remplacer celles qui s'usent et meurent. La moelle jaune des os, quant à elle, présente surtout dans la cavité centrale des os longs, stocke de la graisse.

Épiphyse (tête élargie de l'os)

Diaphyse (tige des os longs)

Périoste

Ostéone

Moelle osseuse

❻ LES OSTÉOBLASTES

Cet ostéoblaste producteur d'os (en rose) est en train de sécréter de la matrice osseuse. Ce sont les ostéoblastes qui font croître les os durant l'enfance. Chez l'adulte, ils travaillent en synergie avec les ostéoclastes résorbeurs d'os à un remodelage permanent de la structure osseuse, en réaction aux contraintes et à l'usure, afin de maintenir les os aussi robustes que possible. Les ostéoblastes finissent par s'isoler au sein de la matrice, devenant alors des ostéocytes.

❽ LORSQUE L'OS CASSE

Bien que robustes, les os se fracturent parfois lorsqu'ils sont soumis à des contraintes trop violentes. Un os brisé se répare de lui-même, mais les deux parties de la fracture doivent être maintenues parfaitement alignées pour s'assurer, d'une part qu'il se ressoude dans la bonne position, d'autre part qu'il ne risque pas de bouger tant que la reconstruction n'est pas totalement achevée. C'est pourquoi on immobilise l'os à l'aide d'un plâtre (ci-contre), ou bien au moyen de broches, de vis et de plaques que l'on pose lors d'une intervention chirurgicale.

❼ LES OSTÉOCLASTES

Ces cellules géantes (en rose) ont une activité opposée à celle des ostéoblastes. Elles dégradent la matrice osseuse en creusant à sa surface. Au cours de cette activité, elles libèrent dans le sang du calcium – essentiel au bon fonctionnement des nerfs et des muscles –, tandis que les ostéoblastes le stockent dans la matrice osseuse. Cette action équilibrante permet de maintenir le taux de calcium dans le sang.

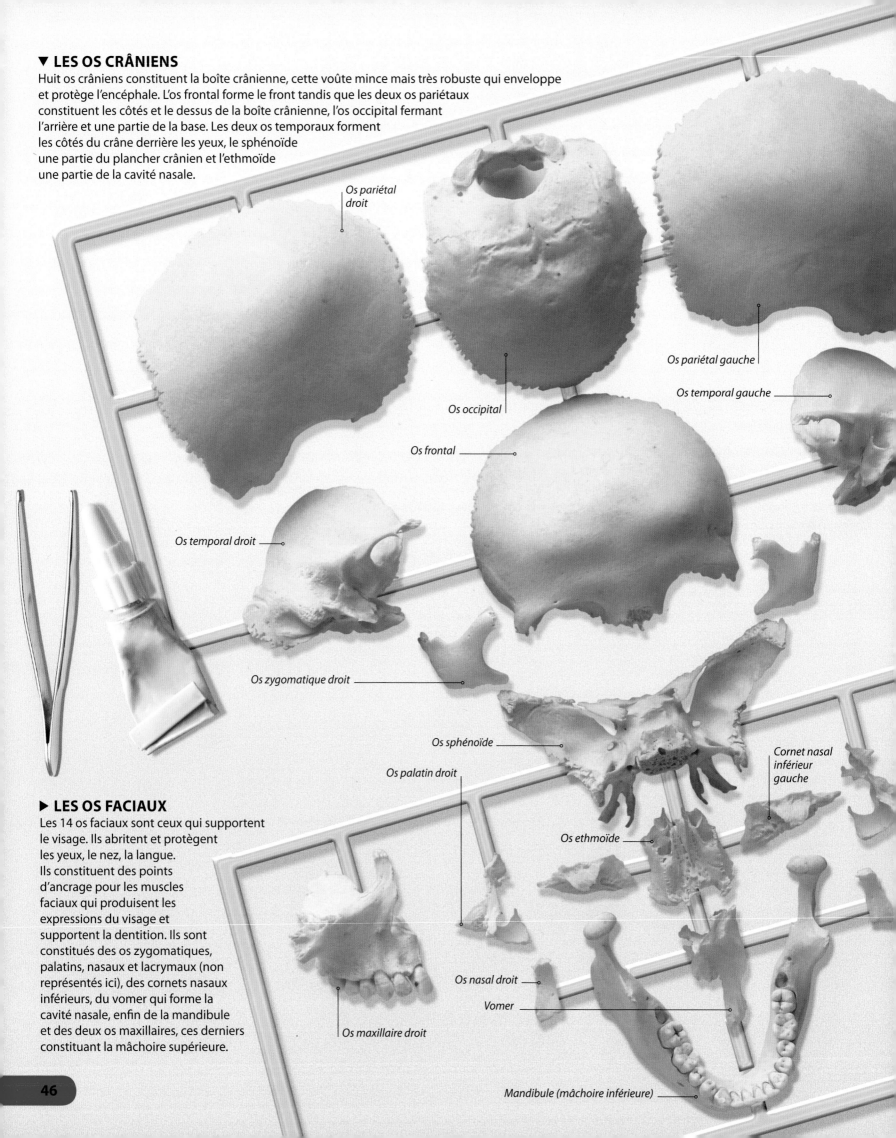

▼ LES OS CRÂNIENS

Huit os crâniens constituent la boîte crânienne, cette voûte mince mais très robuste qui enveloppe et protège l'encéphale. L'os frontal forme le front tandis que les deux os pariétaux constituent les côtés et le dessus de la boîte crânienne, l'os occipital fermant l'arrière et une partie de la base. Les deux os temporaux forment les côtés du crâne derrière les yeux, le sphénoïde une partie du plancher crânien et l'ethmoïde une partie de la cavité nasale.

Os pariétal droit

Os pariétal gauche

Os temporal gauche

Os occipital

Os frontal

Os temporal droit

Os zygomatique droit

Os sphénoïde

Cornet nasal inférieur gauche

Os palatin droit

Os ethmoïde

► LES OS FACIAUX

Les 14 os faciaux sont ceux qui supportent le visage. Ils abritent et protègent les yeux, le nez, la langue. Ils constituent des points d'ancrage pour les muscles faciaux qui produisent les expressions du visage et supportent la dentition. Ils sont constitués des os zygomatiques, palatins, nasaux et lacrymaux (non représentés ici), des cornets nasaux inférieurs, du vomer qui forme la cavité nasale, enfin de la mandibule et des deux os maxillaires, ces derniers constituant la mâchoire supérieure.

Os nasal droit

Vomer

Os maxillaire droit

Mandibule (mâchoire inférieure)

Le crâne

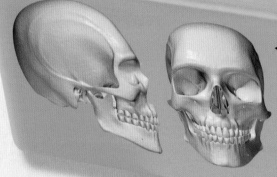

Le crâne constitue sans aucun doute la partie la plus complexe de notre squelette. Il n'est pas constitué d'un seul, mais de vingt-deux os différents étroitement assemblés – représentés en vue «éclatée» sur la page de gauche. Ainsi réunis, ces os font du crâne un ensemble particulièrement solide. Une telle robustesse est en effet essentielle pour protéger les tissus fragiles de l'encéphale, ainsi que les yeux et les oreilles internes. Par ailleurs, la forme du crâne détermine la forme de la tête et du visage de chacun de nous.

◀ LÉGER MAIS ROBUSTE

Le crâne est, en quelque sorte, une sphère osseuse à laquelle se juxtaposent les os qui supportent la face. La boîte crânienne elle-même renferme et protège l'encéphale. Bon nombre des os crâniens sont minces et aplatis, ce qui rend l'ensemble léger sans lui faire perdre de robustesse. Le poids global est encore réduit par la présence, dans certains os, de cavités remplies d'air : les sinus. D'autres cavités abritent les oreilles, les yeux et le nez.

▶ LES ORIFICES CRÂNIENS

Cette vue de la base du crâne montre le trou occipital, qui est l'ouverture par laquelle la moelle épinière sort de la boîte crânienne pour se prolonger dans la colonne vertébrale. C'est de loin le plus gros – mais non le seul – des orifices présents dans le crâne. À travers ceux-ci passent les veines et artères qui irriguent l'encéphale et les autres organes intracrâniens, ainsi que les nerfs crâniens issus du cerveau.

Trou occipital

◀ LES SUTURES

À l'exception de l'articulation de la mâchoire inférieure, tous les os du crâne sont étroitement réunis par des jointures immobiles que l'on appelle sutures. À leur niveau, la bordure des os est découpée en courbes complexes qui s'interpénètrent, assemblant les os comme les pièces d'un puzzle. Chez les enfants et les jeunes, une couche de tissu fibreux maintient les sutures tout en permettant aux os de croître. Chez les personnes d'âge mûr, les différents os du crâne sont complètement soudés entre eux .

▶ LA PARTIE MOBILE

Vingt et un des vingt-deux os qui composent le crâne sont fixes. Seule la mâchoire inférieure présente une articulation mobile avec les deux os temporaux, permettant à la bouche de s'ouvrir et se fermer. C'est ce qui nous permet de respirer, de parler, de mastiquer, de manger et de boire. Avec sa forme en U, la mâchoire inférieure ou mandibule, est le plus gros et le plus robuste des os faciaux. Il comporte les alvéoles dans lesquelles les seize dents inférieures viennent se loger.

Suture sagittale
entre les os pariétaux
droit et gauche

Les articulations

Le corps humain est capable d'effectuer une très grande diversité de mouvements. Cette mobilité est possible parce que la plupart des quelque 400 jointures qui unissent les os de notre squelette sont articulées. Celles-ci forment le plus souvent des articulations dites synoviales, qui permettent des mouvements amples et souples tout en maintenant les os fermement assemblés. Il existe également des articulations semi-mobiles, comme celles situées entre les vertèbres, qui n'autorisent que des mouvements limités, ainsi que des articulations immobiles, comme les sutures qui unissent les os du crâne.

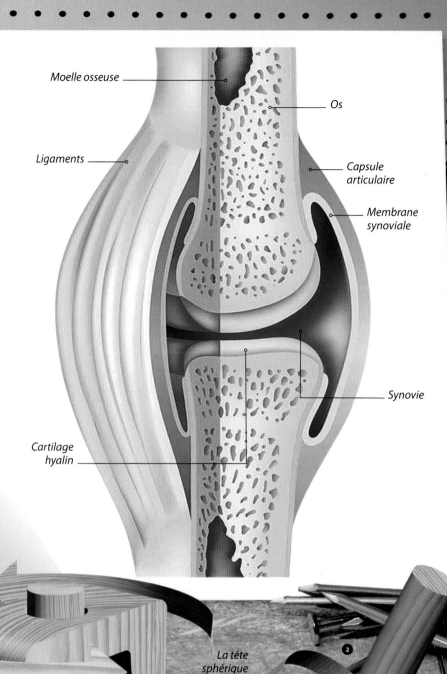

Moelle osseuse

Os

Ligaments

Capsule articulaire

Membrane synoviale

Synovie

Cartilage hyalin

LES ARTICULATIONS SYNOVIALES ▶

Dans une articulation synoviale, l'extrémité de chacun des deux os en contact est recouverte et protégée par un cartilage hyalin, d'aspect translucide. Un liquide huileux, la synovie, baigne l'espace entre les deux os et lubrifie en permanence les cartilages. Ainsi, l'articulation reste souple et les os bougent pratiquement sans friction. La synovie est sécrétée par la membrane synoviale, qui tapisse l'intérieur de la capsule articulaire. Cette capsule ligamenteuse maintient l'articulation ; elle est souvent renforcée par des ligaments en forme de bandes.

LES TYPES D'ARTICULATIONS ▶

Il existe six grands types d'articulations synoviales : les articulations en pivot, en rotule, en charnière, les articulations planes, ellipsoïdales et en selle. Elles diffèrent par la manière dont les extrémités osseuses s'assemblent. Le type d'assemblage détermine en effet la gamme de mouvements permis par l'articulation. La force des ligaments qui le maintient joue aussi un rôle. Ainsi, l'articulation en charnière du coude ne permet que des mouvements en avant et en arrière, comme ceux d'une porte. Au contraire, la rotule de l'épaule autorise des mouvements dans la plupart des directions.

Un axe issu de l'un des os s'engage et tourne dans l'orifice d'un autre os.

①

La tête sphérique de l'un des os s'adapte dans une cavité en forme de coupelle d'un autre os.

②

① L'articulation en pivot Si nous pouvons tourner la tête vers la droite et la gauche, c'est parce qu'elle est montée sur une articulation en pivot. En effet, la dernière vertèbre de la colonne, soudée au crâne, tourne autour d'un axe osseux issu de l'avant-dernière vertèbre. C'est également une articulation pivotante qui, dans le coude, permet à l'avant-bras de tourner sur lui-même.

② L'articulation en rotule Il s'agit du type d'articulation le plus libre que l'on trouve dans l'organisme. Présente dans l'épaule entre l'humérus et l'omoplate, et dans la hanche entre le fémur et la ceinture pelvienne, l'articulation en rotule permet une rotation dans pratiquement toutes les directions.

▼ LUXATION ARTICULAIRE

Cette image aux rayons X montre une luxation du petit doigt. Celle-ci survient lorsqu'une torsion ou un coup violent fait sortir la tête de l'os de son logement articulaire. Les luxations, qui provoquent une vive douleur et une enflure, se produisent le plus fréquemment au niveau des articulations des doigts, comme ici, et de l'épaule. La capsule articulaire qui maintient les os assemblés peut être endommagée. Les médecins traitent les luxations en replaçant les os dans leur position normale.

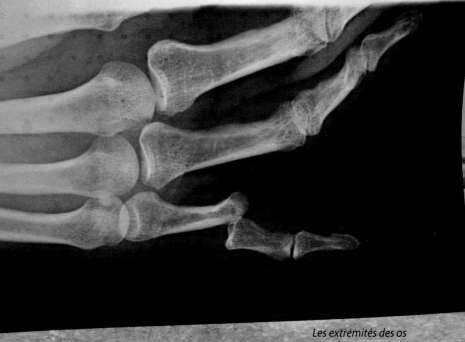

❸ **L'articulation en charnière** Présent dans le genou, le coude et les doigts des mains et des pieds, ce type d'articulation fonctionne, comme son nom le suggère, de la même manière qu'une charnière de porte, autorisant la rotation dans une seule direction. Elle permet, par exemple, le fléchissement du bras.

L'extrémité circulaire d'un os tourne dans l'extrémité en cylindre creux de l'autre.

❹ **L'articulation plane** Tandis que la plupart des articulations fonctionnent par emboîtement d'un os dans l'autre, l'articulation plane permet un glissement limité des os le long d'un plan dans toutes les directions. On la trouve dans le poignet et la cheville, articulations ayant une amplitude de mouvement réduite.

Les extrémités planes des os glissent l'une contre l'autre.

❺ **L'articulation ellipsoïdale** Dite aussi condyloïde, l'articulation ellipsoïdale permet aux os de bouger d'un côté à l'autre ou d'avant en arrière. On la rencontre à la base des doigts des mains et des pieds ainsi que dans le poignet et la mâchoire.

L'extrémité ovale de l'un des os tourne de façon restreinte dans une cavité de l'autre os.

Les extrémités des os s'emboîtent comme un cavalier sur sa selle.

❻ **L'articulation en selle** Constituée de deux extrémités en U emboîtées à angle droit, on la trouve à la base du pouce. Elle confère à ce dernier une mobilité considérable, lui permettant de se plier contre la paume de la main et de toucher l'extrémité de tous les doigts.

Les muscles

Sans nos muscles, nous serions incapables de nous mouvoir. Les cellules qui les composent, appelées fibres musculaires, possèdent la particularité de pouvoir se contracter pour créer une force de traction. Il existe trois types distincts de muscles dans l'organisme : les muscles squelettiques, les muscles lisses et le muscle cardiaque. Quelque 640 muscles squelettiques, qui modèlent le corps et constituent environ 40 % de sa masse, actionnent et supportent le squelette. Les muscles lisses se rencontrent dans les parois des organes creux tels que l'estomac et les intestins. Quant au muscle cardiaque, son activité de pompage permanent permet de maintenir la circulation du sang dans tout l'organisme.

❶ LE NOM DES MUSCLES

Les noms latins et français que l'on donne aux muscles peuvent sembler complexes. Ils ne font en fait que refléter des caractéristiques du muscle désigné telles que son action, sa forme, sa taille ou ses points d'attache. Par exemple, les muscles extenseurs des doigts – extensor digitorum – déplient les articulations des phalanges pour permettre d'allonger les doigts. Le deltoïde (triangulaire) et le trapèze (trapézoïdal) doivent leur nom à leur forme particulière. Le grand fessier – gluteus maximus – est le plus gros muscle du corps et le biceps brachial – *biceps* signifie «deux têtes» – possède deux points d'attache qui le relient par des tendons à l'omoplate.

L'extenseur commun des doigts déplie les doigts de la main.

Le triceps brachial étend le bras au niveau du coude.

Le biceps brachial plie le bras au niveau du coude.

Le grand oblique permet de plier et de pivoter la partie supérieure du corps.

Le deltoïde écarte le bras du corps.

Le grand pectoral tire le bras vers l'avant et vers le corps.

Le muscle grand droit permet de plier le haut du corps vers l'avant et contracte la paroi abdominale.

Les muscles jumeaux, ou gastrocnemius, abaissent le pied vers le bas.

Le quadriceps étend la jambe au niveau du genou.

❷ LES MUSCLES SQUELETTIQUES

Appelés aussi muscles striés parce que leurs fibres apparaissent striées sous le microscope, ou encore muscles volontaires parce que leur mouvement est contrôlé par la volonté, les muscles squelettiques actionnent les os. Leur aspect strié est dû au fait qu'ils sont constitués d'unités allongées appelées myofibrilles. Réunies en faisceaux, ces dernières constituent le mécanisme permettant aux fibres squelettiques de se contracter.

Le trapèze tire la tête et les épaules vers l'arrière.

Le grand dorsal tire les bras vers le bas, vers l'arrière et vers le corps.

Le grand fessier tire la jambe vers l'arrière.

❸ LES MUSCLES LISSES

Les muscles lisses interviennent dans de nombreux mécanismes, entre autres le déplacement des aliments dans les intestins et l'expulsion de l'urine hors de la vessie. On les rencontre notamment dans les parois des organes creux. Ce sont des muscles involontaires : ils sont contrôlés de façon non consciente par des hormones et par le pilote automatique de l'organisme : le système nerveux autonome. Les muscles lisses sont formés de fibres courtes aux extrémités effilées. Cette photo montre les fibres de la paroi de l'utérus (en rose) avec leur gros noyau (en jaune). Celles-ci se contractent pour expulser le bébé hors du ventre de la mère lors de la naissance.

Le biceps crural plie la jambe au niveau du genou.

❹ LE MUSCLE CARDIAQUE

Présent uniquement dans le cœur, le muscle cardiaque se contracte automatiquement et de façon permanente pour assurer la circulation sanguine. Ses fibres sont ramifiées et forment un réseau interconnecté. Chacune renferme des masses de grosses mitochondries (en brun sur la photo) qui fournissent l'énergie nécessaire à un rythme de contraction ininterrompu. Entre les mitochondries, figurent des myofibrilles (en vert) qui renferment les filaments constituant le mécanisme de contraction.

Le muscle érecteur du rachis maintient le dos dressé.

❺ LE CULTURISME

Cette adepte du culturisme montre un corps aux muscles nettement saillants. Pour que ceux-ci grossissent et deviennent très apparents, les culturistes poussent les exercices physiques à l'extrême afin de provoquer l'expansion des fibres musculaires squelettiques. Ils suivent en outre un régime alimentaire riche en protéines pour réduire les graisses corporelles et favoriser le développement musculaire.

Le mouvement

Ces membres d'un club de sport sollicitent leurs muscles squelettiques pour mouvoir leur corps. Les muscles agissent par contraction, c'est-à-dire en se raccourcissant, afin d'appliquer des tractions sur les os du squelette. Ils se contractent lorsque l'ordre leur en est donné par des signaux issus de l'encéphale et de la moelle épinière. Ces signaux déclenchent des modifications de l'état interne des fibres musculaires qui convertissent alors de l'énergie stockée en énergie de mouvement, générant une force de traction suffisante pour produire une action.

❶ STRUCTURE DES MUSCLES

Les muscles squelettiques présentent une structure hautement organisée, comme le montre le schéma ci-contre. Ils sont constitués de faisceaux de longues cellules ou fibres musculaires. Chaque fibre est elle-même composée de faisceaux de myofibrilles allongées, composées à leur tour de faisceaux de deux types de filaments protéiniques, l'un épais, l'autre mince. Lorsque le muscle se contracte, ces filaments protéiniques entrent en interaction, utilisant de l'énergie pour glisser les uns contre les autres afin de raccourcir la cellule.

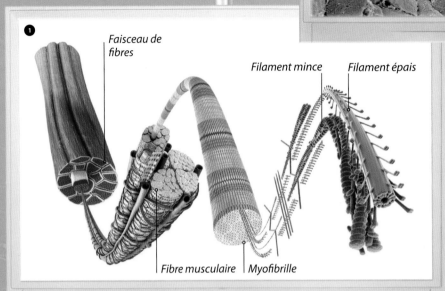

Faisceau de fibres

Filament mince   Filament épais

Fibre musculaire   Myofibrille

❷ LES FIBRES MUSCULAIRES

Les fibres musculaires sont des cellules hautement spécialisées. Vues ici en coupe transversale, elles apparaissent cylindriques et peuvent atteindre 30 cm de long. Disposées parallèlement les unes aux autres, ce sont elles qui génèrent la puissante traction qui s'applique aux os lorsque les muscles se contractent.

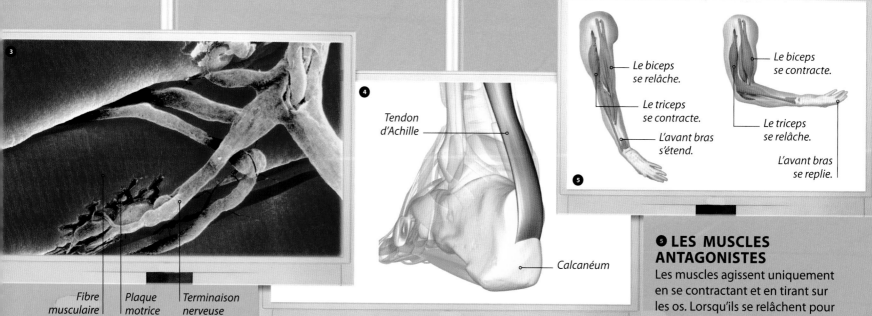

Fibre
musculaire   Plaque
motrice   Terminaison
nerveuse

Tendon
d'Achille

Calcanéum

Le biceps
se relâche.

Le triceps
se contracte.

L'avant bras
s'étend.

Le biceps
se contracte.

Le triceps
se relâche.

L'avant bras
se replie.

❸ LES PLAQUES MOTRICES

Les muscles squelettiques sont également appelés
muscles volontaires parce que nous les contrôlons
de façon consciente au moyen du système nerveux.
Nerfs et muscles sont en effet en contact par des
jonctions neuromusculaires appelées plaques
motrices. Les neurones moteurs, qui véhiculent
l'influx nerveux issu de l'encéphale et de la moelle
épinière, se ramifient en terminaisons nerveuses
(en vert) qui forment chacune un contact avec
une fibre musculaire (en rouge) par l'intermédiaire
d'une plaque motrice. C'est par ces points que
l'influx nerveux électrique passe dans le muscle
et provoque la contraction.

❹ LES TENDONS

Les extrémités des muscles sont reliées aux os
par l'intermédiaire des tendons. Lorsque les premiers
se contractent, ce sont les seconds qui tirent sur les os,
un peu comme les fils d'une marionnette. Ils sont
constitués de faisceaux parallèles de fibres de
collagène extrêmement robustes, qui leur confèrent
une énorme force de traction. Le plus gros de tous est
le tendon d'Achille, ou tendon calcanéen, situé dans
le talon. Celui-ci relie les muscles jumeaux de la jambe,
qui étirent le pied vers le bas, à l'os du talon,
appelé calcanéum.

❺ LES MUSCLES ANTAGONISTES

Les muscles agissent uniquement
en se contractant et en tirant sur
les os. Lorsqu'ils se relâchent pour
s'allonger de nouveau, ils le font de
manière passive. Il en résulte que,
pour faire bouger une partie du corps
dans deux sens opposés, il faut des
muscles dits antagonistes, agissant
en sens contraires. Ainsi, dans le bras,
le triceps se contracte pour étendre
l'avant-bras au niveau du coude,
et il faut l'action antagoniste du
biceps pour plier de nouveau
l'avant-bras.

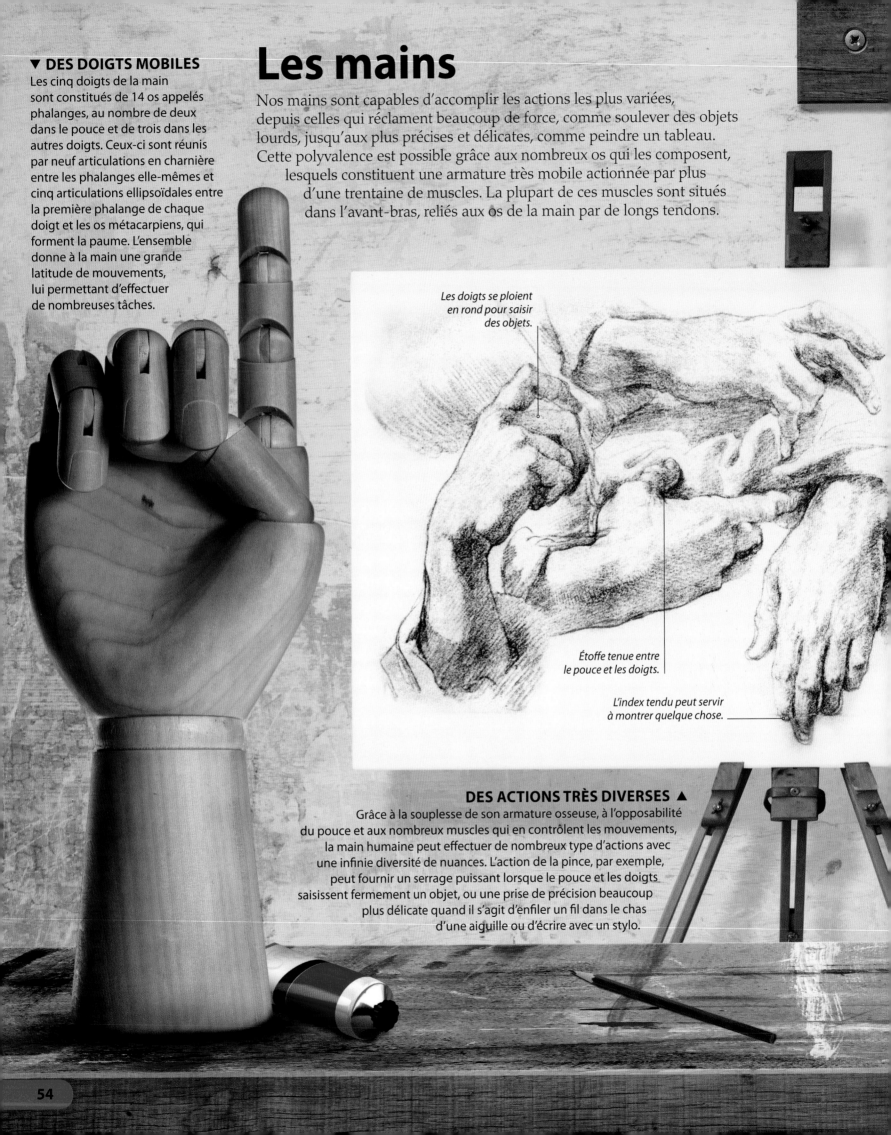

▼ DES DOIGTS MOBILES

Les cinq doigts de la main sont constitués de 14 os appelés phalanges, au nombre de deux dans le pouce et de trois dans les autres doigts. Ceux-ci sont réunis par neuf articulations en charnière entre les phalanges elle-mêmes et cinq articulations ellipsoïdales entre la première phalange de chaque doigt et les os métacarpiens, qui forment la paume. L'ensemble donne à la main une grande latitude de mouvements, lui permettant d'effectuer de nombreuses tâches.

Les mains

Nos mains sont capables d'accomplir les actions les plus variées, depuis celles qui réclament beaucoup de force, comme soulever des objets lourds, jusqu'aux plus précises et délicates, comme peindre un tableau. Cette polyvalence est possible grâce aux nombreux os qui les composent, lesquels constituent une armature très mobile actionnée par plus d'une trentaine de muscles. La plupart de ces muscles sont situés dans l'avant-bras, reliés aux os de la main par de longs tendons.

Les doigts se ploient en rond pour saisir des objets.

Étoffe tenue entre le pouce et les doigts.

L'index tendu peut servir à montrer quelque chose.

DES ACTIONS TRÈS DIVERSES ▲

Grâce à la souplesse de son armature osseuse, à l'opposabilité du pouce et aux nombreux muscles qui en contrôlent les mouvements, la main humaine peut effectuer de nombreux type d'actions avec une infinie diversité de nuances. L'action de la pince, par exemple, peut fournir un serrage puissant lorsque le pouce et les doigts saisissent fermement un objet, ou une prise de précision beaucoup plus délicate quand il s'agit d'enfiler un fil dans le chas d'une aiguille ou d'écrire avec un stylo.

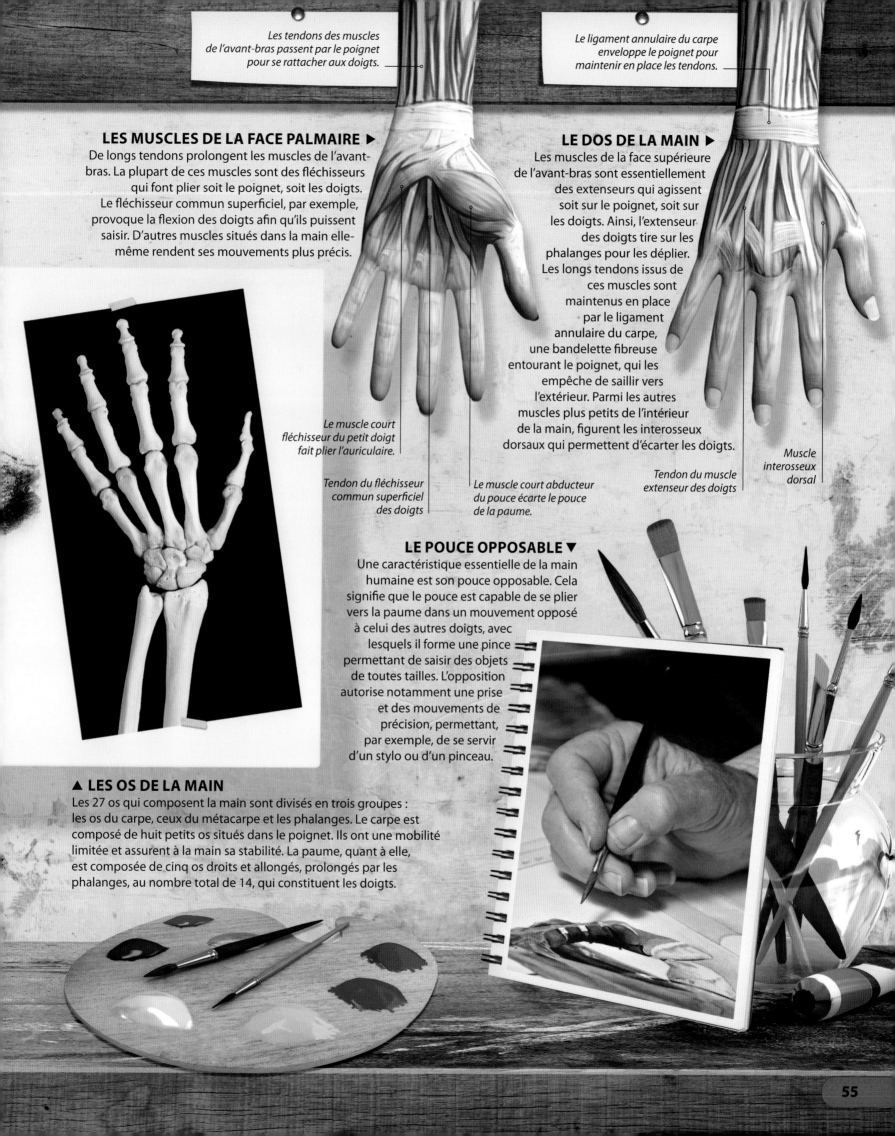

> Les tendons des muscles de l'avant-bras passent par le poignet pour se rattacher aux doigts.

> Le ligament annulaire du carpe enveloppe le poignet pour maintenir en place les tendons.

LES MUSCLES DE LA FACE PALMAIRE ▶

De longs tendons prolongent les muscles de l'avant-bras. La plupart de ces muscles sont des fléchisseurs qui font plier soit le poignet, soit les doigts. Le fléchisseur commun superficiel, par exemple, provoque la flexion des doigts afin qu'ils puissent saisir. D'autres muscles situés dans la main elle-même rendent ses mouvements plus précis.

LE DOS DE LA MAIN ▶

Les muscles de la face supérieure de l'avant-bras sont essentiellement des extenseurs qui agissent soit sur le poignet, soit sur les doigts. Ainsi, l'extenseur des doigts tire sur les phalanges pour les déplier. Les longs tendons issus de ces muscles sont maintenus en place par le ligament annulaire du carpe, une bandelette fibreuse entourant le poignet, qui les empêche de saillir vers l'extérieur. Parmi les autres muscles plus petits de l'intérieur de la main, figurent les interosseux dorsaux qui permettent d'écarter les doigts.

Le muscle court fléchisseur du petit doigt fait plier l'auriculaire.

Tendon du fléchisseur commun superficiel des doigts

Le muscle court abducteur du pouce écarte le pouce de la paume.

Tendon du muscle extenseur des doigts

Muscle interosseux dorsal

LE POUCE OPPOSABLE ▼

Une caractéristique essentielle de la main humaine est son pouce opposable. Cela signifie que le pouce est capable de se plier vers la paume dans un mouvement opposé à celui des autres doigts, avec lesquels il forme une pince permettant de saisir des objets de toutes tailles. L'opposition autorise notamment une prise et des mouvements de précision, permettant, par exemple, de se servir d'un stylo ou d'un pinceau.

▲ LES OS DE LA MAIN

Les 27 os qui composent la main sont divisés en trois groupes : les os du carpe, ceux du métacarpe et les phalanges. Le carpe est composé de huit petits os situés dans le poignet. Ils ont une mobilité limitée et assurent à la main sa stabilité. La paume, quant à elle, est composée de cinq os droits et allongés, prolongés par les phalanges, au nombre total de 14, qui constituent les doigts.

L'exercice physique

Entre les moments où nous sommes assis sur une chaise et ceux où nous montons un escalier au pas de course, notre corps passe quotidiennement par divers niveaux d'activité physique. La course réclame évidemment de la part de nos muscles un travail plus important que lorsque nous somme assis. L'organisme s'adapte automatiquement à ces changements d'activité. Mais sa capacité à le faire dépend de sa condition physique, c'est-à-dire sa faculté d'effectuer un effort sans être essoufflé ou épuisé. La condition physique est déterminée par trois facteurs : la puissance musculaire, l'endurance et la souplesse. Tous trois peuvent être améliorés par la pratique d'un exercice physique régulier.

▼ LA PUISSANCE MUSCULAIRE

La quantité de force que nos muscles peuvent exercer, lorsque, par exemple, nous soulevons un objet, est déterminée par leur puissance. La meilleure façon d'améliorer celle-ci est de pratiquer des exercices répétitifs de résistance, par exemple en soulevant des poids. Ce type d'efforts brefs et intensifs mobilise l'énergie sous forme d'apports massifs et rapides par le truchement de la respiration anaérobie, un mode de respiration cellulaire qui ne fait pas appel à l'oxygène. Avec le temps, cette pratique développe la taille des muscles, donc la force de traction des fibres musculaires.

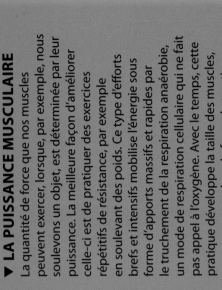
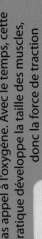
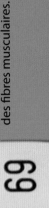

▼ L'ENDURANCE

L'endurance est liée à la santé cardiovasculaire et traduit l'efficacité du cœur et des muscles à soutenir un effort. Au cours d'un exercice prolongé comme la course à pied ou la natation, les muscles produisent de l'énergie par le truchement de la respiration aérobie, qui fait appel à l'oxygène pour « brûler » des composés comme le glucose. Un exercice physique régulier, au moins trois fois par semaine, améliore l'endurance de façon significative en renforçant le cœur afin qu'il délivre plus efficacement l'oxygène et des éléments nourriciers aux muscles par l'augmentation du débit sanguin.

Les glandes sudoripares sont présentes partout sur le corps, à l'exception de la paume des mains et la plante des pieds.

▼ LA SOUPLESSE

La souplesse détermine la facilité avec laquelle nous parvenons à plier et redresser notre corps. Elle dépend de la capacité des articulations, aidées par les tendons et les ligaments, à se mouvoir librement. Parmi les exercices qui améliorent la souplesse figurent le yoga, la gymnastique et la danse. Tous nécessitent de pratiquer et de maintenir des étirements, qui entretiennent la bonne condition des articulations et des muscles.

▲ LES BÉNÉFICES DE L'EXERCICE

Des exercices réguliers, notamment ceux qui nécessitent un effort soutenu, nous permettent de nous sentir mieux et plus alertes. Ils contribuent aussi à maintenir notre poids à un niveau correct, à augmenter notre masse musculaire et à éliminer la graisse en excès. Comme le montre le tableau ci-dessous, chaque type d'exercice apporte des bénéfices différents en termes d'endurance, de puissance musculaire et de souplesse. La natation est sans doute l'un des meilleurs car elle contribue à améliorer les trois à la fois.

BÉNÉFICES DE DIFFÉRENTES ACTIVITÉS PHYSIQUES

ACTIVITÉ	PUISSANCE	ENDURANCE	SOUPLESSE
	★★★	★★★★	★★★
Natation	★	★★★★	★★★★
Marche rapide	★★	★★★	★★
Course	★★	★★★★	★★
Cyclisme	★★★	★★★★	★★
Danse	★★	★★★	★★★
Yoga	★	★	★★★★
Basketball	★★	★★★	★★
Tennis	★★	★★	★★
Montée des escaliers	★★★	★★★	★

LES EFFETS DE L'EXERCICE PHYSIQUE ▲

Chaque fois que nous faisons de l'exercice physique, l'activité interne de notre organisme se modifie, en particulier pour fournir plus d'oxygène et d'éléments nutritifs à nos muscles. La vitesse de la respiration augmente afin d'apporter plus d'oxygène au sang, ainsi que la fréquence des battements cardiaques pour délivrer plus de sang aux muscles squelettiques. Sous l'effet de l'accroissement de leur activité, les muscles s'échauffent. La chaleur en excès est évacuée par la peau grâce à la transpiration pour empêcher la surchauffe de l'organisme.

Tendons et ligaments contribuent à la liberté de mouvement des articulations.

Le langage du corps

La communication est d'une importance vitale pour l'homme. Outre le langage parlé, nous utilisons le langage du corps pour transmettre une multitude de messages qui traduisent nos humeurs et nos intentions. Les expressions faciales, notamment, expriment six grands types d'émotions – la surprise, la colère, le dégoût, la joie, la peur et la tristesse – ainsi que de nombreuses combinaisons et variations de celles-ci. La posture et les mouvements du corps montrent aussi ce que nous ressentons, souvent même de manière involontaire.

❶ LA SURPRISE

Il s'agit d'une réaction à un événement inattendu ou inconnu. Le muscle frontal soulève les sourcils, qui s'arquent fortement, et le front se plisse. Les yeux s'ouvrent grands pour laisser entrer plus d'informations visuelles, et la mâchoire s'ouvre. Nous utilisons une variation de l'expression de surprise appelée « flash des sourcils » pour faire signe à une personne qu'on l'a reconnue sans avoir besoin de lui parler.

❷ LA COLÈRE

Nous nous mettons généralement en colère pour réagir à une menace réelle ou imaginée. Les muscles tirent les sourcils vers le bas et produisent des rides entre les yeux. Les orbiculaires des paupières resserrent l'ouverture des yeux pour créer une expression menaçante et la bouche s'ouvre plus grand pour montrer les dents. Il en résulte une expression générale de visage plus grand, distordu et plus menaçant.

❸ LE DÉGOÛT

Peut-être vient-elle de sentir une mauvaise odeur ou de voir quelque chose de désagréable. Quoi qu'il en soit, il est clair, à voir son expression, que cette personne ressent du dégoût. Le muscle orbiculaire des lèvres, qui entoure la bouche, pince les lèvres, l'abaisseur de l'angle de la bouche tire la commissure des lèvres vers le bas, les sourcils s'abaissent et les yeux deviennent plus étroits.

❹ LA JOIE

Un large sourire est souvent le signe extérieur de la joie. Les muscles zygomatiques tirent les coins de la bouche vers le haut. En même temps, le muscle élévateur de la lèvre supérieure soulève celle-ci pour exposer les dents. Un vrai sourire, contrairement à un sourire feint ou forcé, soulève les joues et provoque la formation de rides autour des yeux.

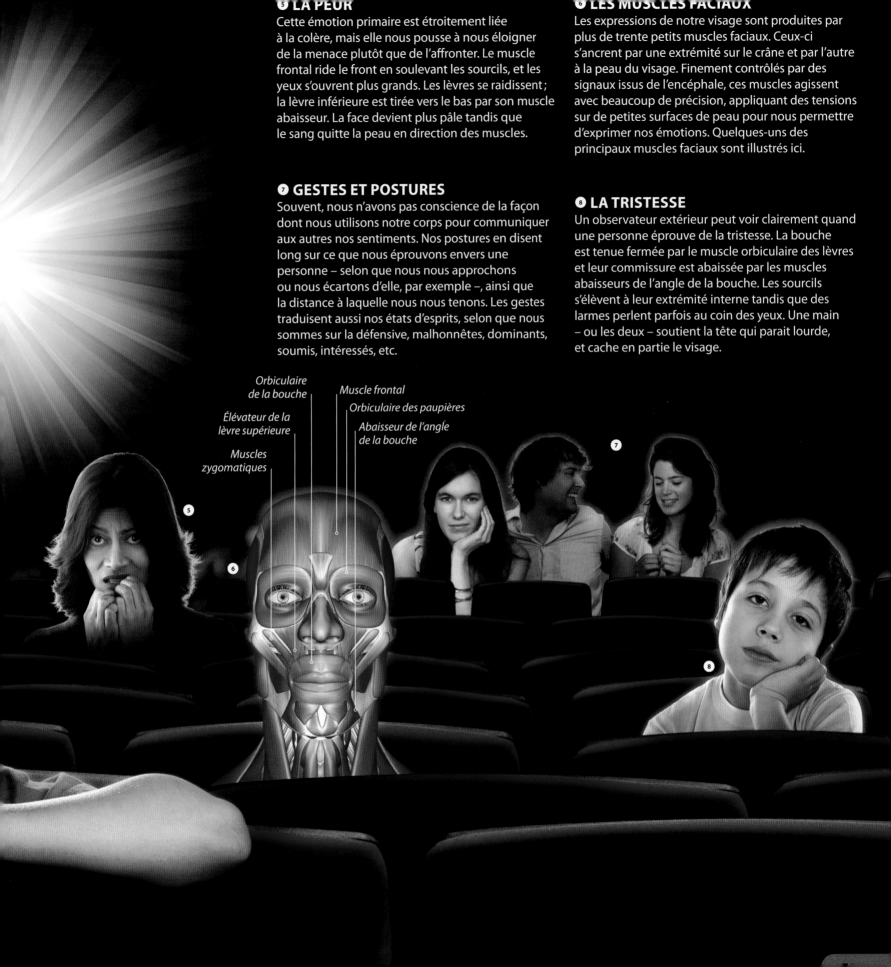

➎ LA PEUR

Cette émotion primaire est étroitement liée
à la colère, mais elle nous pousse à nous éloigner
de la menace plutôt que de l'affronter. Le muscle
frontal ride le front en soulevant les sourcils, et les
yeux s'ouvrent plus grands. Les lèvres se raidissent ;
la lèvre inférieure est tirée vers le bas par son muscle
abaisseur. La face devient plus pâle tandis que
le sang quitte la peau en direction des muscles.

➏ LES MUSCLES FACIAUX

Les expressions de notre visage sont produites par
plus de trente petits muscles faciaux. Ceux-ci
s'ancrent par une extrémité sur le crâne et par l'autre
à la peau du visage. Finement contrôlés par des
signaux issus de l'encéphale, ces muscles agissent
avec beaucoup de précision, appliquant des tensions
sur de petites surfaces de peau pour nous permettre
d'exprimer nos émotions. Quelques-uns des
principaux muscles faciaux sont illustrés ici.

➐ GESTES ET POSTURES

Souvent, nous n'avons pas conscience de la façon
dont nous utilisons notre corps pour communiquer
aux autres nos sentiments. Nos postures en disent
long sur ce que nous éprouvons envers une
personne – selon que nous nous approchons
ou nous écartons d'elle, par exemple –, ainsi que
la distance à laquelle nous nous tenons. Les gestes
traduisent aussi nos états d'esprits, selon que nous
sommes sur la défensive, malhonnêtes, dominants,
soumis, intéressés, etc.

➑ LA TRISTESSE

Un observateur extérieur peut voir clairement quand
une personne éprouve de la tristesse. La bouche
est tenue fermée par le muscle orbiculaire des lèvres
et leur commissure est abaissée par les muscles
abaisseurs de l'angle de la bouche. Les sourcils
s'élèvent à leur extrémité interne tandis que des
larmes perlent parfois au coin des yeux. Une main
– ou les deux – soutient la tête qui parait lourde,
et cache en partie le visage.

*Orbiculaire
de la bouche*

Muscle frontal

*Élévateur de la
lèvre supérieure*

Orbiculaire des paupières

*Abaisseur de l'angle
de la bouche*

*Muscles
zygomatiques*

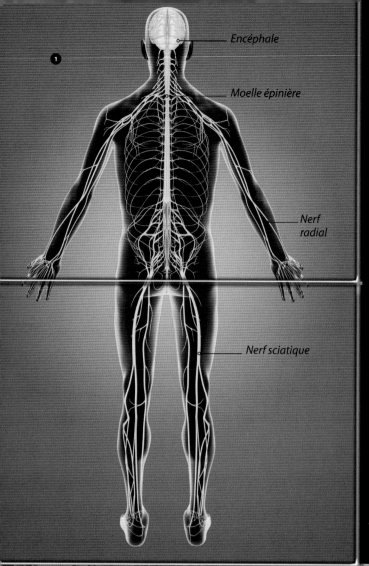

Encéphale

Moelle épinière

Nerf radial

Nerf sciatique

Sous contrôle

Toutes les activités qui maintiennent le corps en vie sont placées sous le contrôle permanent du système nerveux. Celui-ci est en fonction 24 heures sur 24, recueillant des informations sur la façon dont fonctionnent les différentes parties du corps et envoyant des instructions en conséquence pour réguler leur activité. Le système nerveux est constitué d'un réseau de cellules qui génèrent, transmettent, reçoivent et interprètent des millions de signaux électriques. Il possède une puissance de traitement bien plus élevée que celle de n'importe quel ordinateur et la capacité de gérer simultanément de nombreuses tâches différentes.

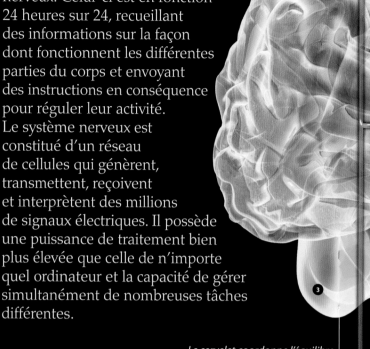

Le cervelet coordonne l'équilibre et les mouvements.

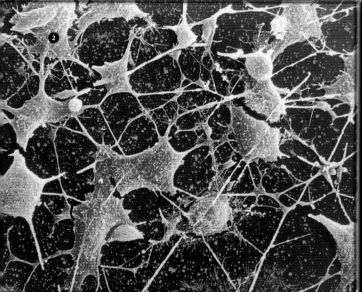

❶ LE SYSTÈME NERVEUX

Le système nerveux est constitué de deux parties. L'encéphale et la moelle épinière forment le système nerveux central, formé de milliards de cellules nerveuses étroitement assemblées qui reçoivent et traitent les informations, et envoient des instructions. Les nerfs, qui composent le système nerveux périphérique, sont des structures en forme de câbles. Ils sont constitués de faisceaux de neurones sensoriels et moteurs qui, respectivement, véhiculent des messages vers et depuis la moelle épinière et l'encéphale.

La moelle épinière se prolonge dans la colonne vertébrale depuis la base de l'encéphale.

❷ LES CELLULES NERVEUSES

Les neurones, ou cellules nerveuses, constituent les unités de base du réseau de communication du système nerveux. Ils véhiculent d'infimes signaux électriques formant l'influx nerveux, qui circulent à très grande vitesse par de longs prolongements (bien visibles ici) du corps cellulaire central. Ces fibres reçoivent l'influx ou le transmettent à d'autres neurones. L'influx nerveux passe de neurone en neurone à travers des espaces appelés synapses.

❸ LE SYSTÈME NERVEUX CENTRAL

Formé par l'encéphale et la moelle épinière, le système nerveux central a pour tâche de contrôler et coordonner toutes les activités de l'organisme, de la parole à la digestion par exemple. Il est formé par l'association de milliards de neurones qui reçoivent et traitent les informations issues des récepteurs sensoriels de l'organisme, et envoient des instructions aux muscles et aux organes. Ils stockent également les souvenirs et permettent la pensée abstraite.

❹ SENS ET SENSATIONS

Des récepteurs sensoriels présents dans les yeux, le nez, sur la langue, la peau et en d'autres parties du corps détectent les modifications se produisant dans et hors de l'organisme. Ils envoient des influx le long des neurones sensoriels pour en avertir le système nerveux central. Celui-ci traite ces signaux, que nous interprétons comme des sensations. Ainsi, par exemple, des influx issus de la vessie nous informent quand nous avons besoin d'uriner.

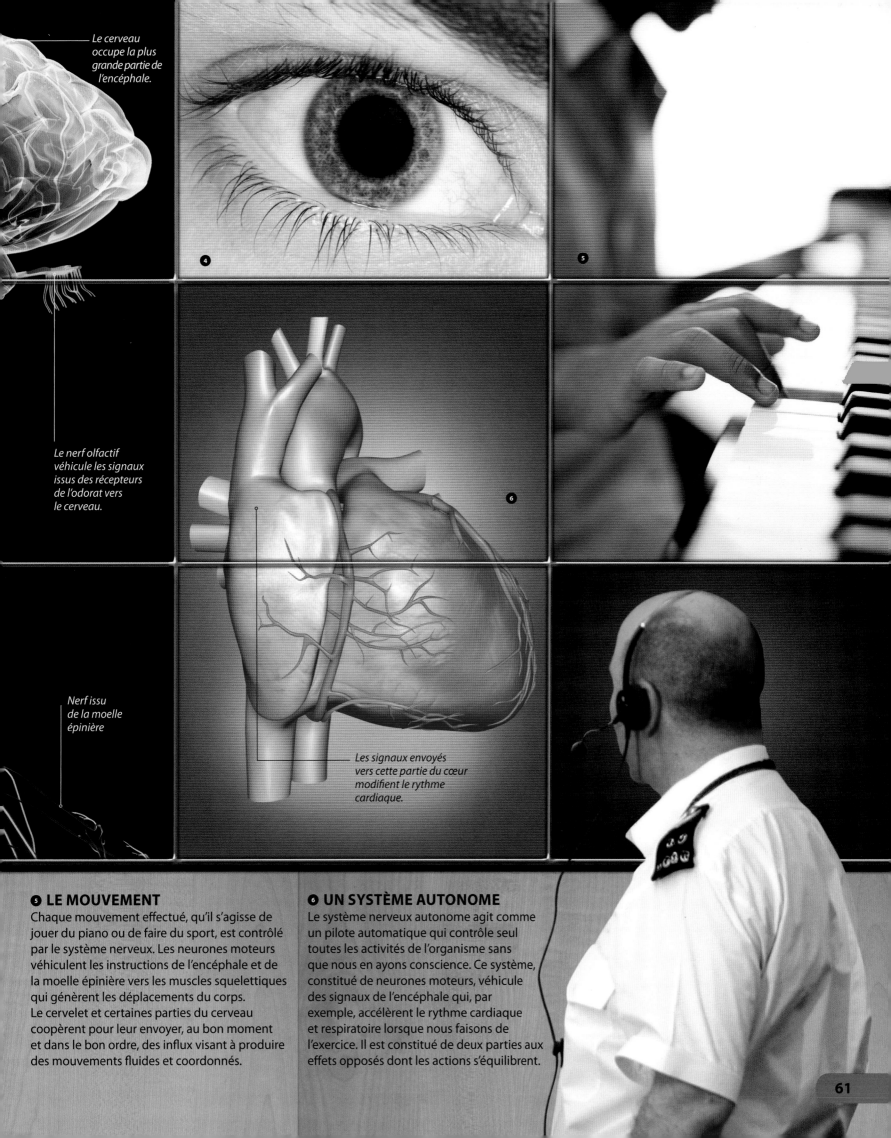

Le cerveau occupe la plus grande partie de l'encéphale.

Le nerf olfactif véhicule les signaux issus des récepteurs de l'odorat vers le cerveau.

Nerf issu de la moelle épinière

Les signaux envoyés vers cette partie du cœur modifient le rythme cardiaque.

❺ LE MOUVEMENT

Chaque mouvement effectué, qu'il s'agisse de jouer du piano ou de faire du sport, est contrôlé par le système nerveux. Les neurones moteurs véhiculent les instructions de l'encéphale et de la moelle épinière vers les muscles squelettiques qui génèrent les déplacements du corps. Le cervelet et certaines parties du cerveau coopèrent pour leur envoyer, au bon moment et dans le bon ordre, des influx visant à produire des mouvements fluides et coordonnés.

❻ UN SYSTÈME AUTONOME

Le système nerveux autonome agit comme un pilote automatique qui contrôle seul toutes les activités de l'organisme sans que nous en ayons conscience. Ce système, constitué de neurones moteurs, véhicule des signaux de l'encéphale qui, par exemple, accélèrent le rythme cardiaque et respiratoire lorsque nous faisons de l'exercice. Il est constitué de deux parties aux effets opposés dont les actions s'équilibrent.

Les neurones

Les cellules du système nerveux, appelées neurones, possèdent la capacité unique dans l'organisme de générer et de transmettre des signaux électriques appelés influx nerveux. Par leur entremise, le système nerveux forme un vaste réseau de communication qui se ramifie dans l'ensemble du corps. Les neurones du système nerveux central – formé par l'encéphale et la moelle épinière – traitent les informations entrantes et génèrent des instructions qu'ils renvoient pour commander les réactions en retour. Les autres neurones ont pour fonction soit de transmettre les informations issues des récepteurs sensoriels, soit de véhiculer l'influx nerveux vers les muscles pour commander leur contraction.

❷ LES NEURONES MOTEURS

Ces longs neurones véhiculent l'influx provenant du système nerveux central en direction des effecteurs. Parmi ces derniers, les plus importants sont les muscles qui font bouger le corps en réponse aux instructions de l'encéphale, ainsi que des glandes telles que la surrénale, qui sécrète une hormone appelée adrénaline lorsque l'ordre lui en est donné. Le corps cellulaire des neurones moteurs est situé dans la moelle épinière. C'est lui qui reçoit les messages des autres neurones.

L'axone, entouré de cellules isolantes, transmet l'influx nerveux en provenance du corps cellulaire.

Les dendrites transmettent l'influx nerveux en direction du corps cellulaire.

Le corps cellulaire renferme le noyau et des mitochondries.

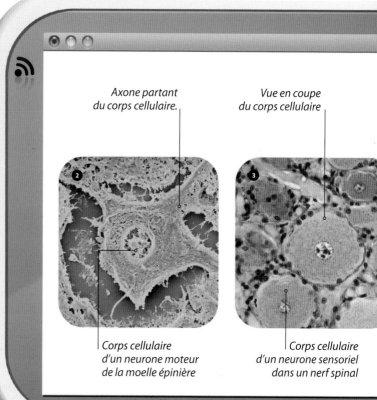

Axone partant du corps cellulaire.

Vue en coupe du corps cellulaire

Corps cellulaire d'un neurone moteur de la moelle épinière

Corps cellulaire d'un neurone sensoriel dans un nerf spinal

❶ LA STRUCTURE DES NEURONES

Il existe différents types de neurones mais tous partagent la même structure de base. Un renflement, appelé corps cellulaire, contient le noyau et les autres structures habituellement rencontrées dans une cellule. Reliés au corps cellulaire, de courts filaments appelés dendrites, souvent ramifiés, véhiculent les signaux électriques de l'influx nerveux en direction du corps cellulaire. Un filament plus long, l'axone, ou fibre nerveuse, emporte l'influx nerveux à distance du corps cellulaire.

❸ LES NEURONES SENSORIELS

Comme leur nom le suggère, ces longs neurones véhiculent les messages sensoriels provenant des diverses parties du corps vers le système nerveux central. L'activité de certains neurones sensoriels est déclenchée directement par des stimuli, comme lorsqu'un doigt touche quelque chose de chaud. D'autres sont activés indirectement par des cellules spéciales appelées récepteurs, tels les photorécepteurs présents dans la rétine de l'œil qui sont sollicités lorsqu'ils sont frappés par la lumière.

❹ LES NEURONES D'ASSOCIATION

Appelés aussi interneurones, les neurones d'association forment la plus grande part des cellules nerveuses. Ils ne se rencontrent que dans l'encéphale et la moelle épinière. Leur tâche est de traiter, comparer et ordonner les informations issues des neurones sensoriels, et de générer les instructions en retour qui sont transmises par les neurones moteurs.

❻ LES SYNAPSES

Pour assurer leur rôle de réseau de communication, les neurones doivent se transmettre les signaux de l'un à l'autre. Au point de contact entre deux neurones figure un minuscule espace : la synapse. L'axone de l'un des neurones s'y achève sous la forme d'un petit renflement appelé bouton synaptique. Lorsqu'un influx nerveux parvient dans le bouton synaptique, celui-ci libère une substance chimique qui traverse l'espace de la synapse et déclenche un nouvel influx nerveux dans la dendrite du second neurone.

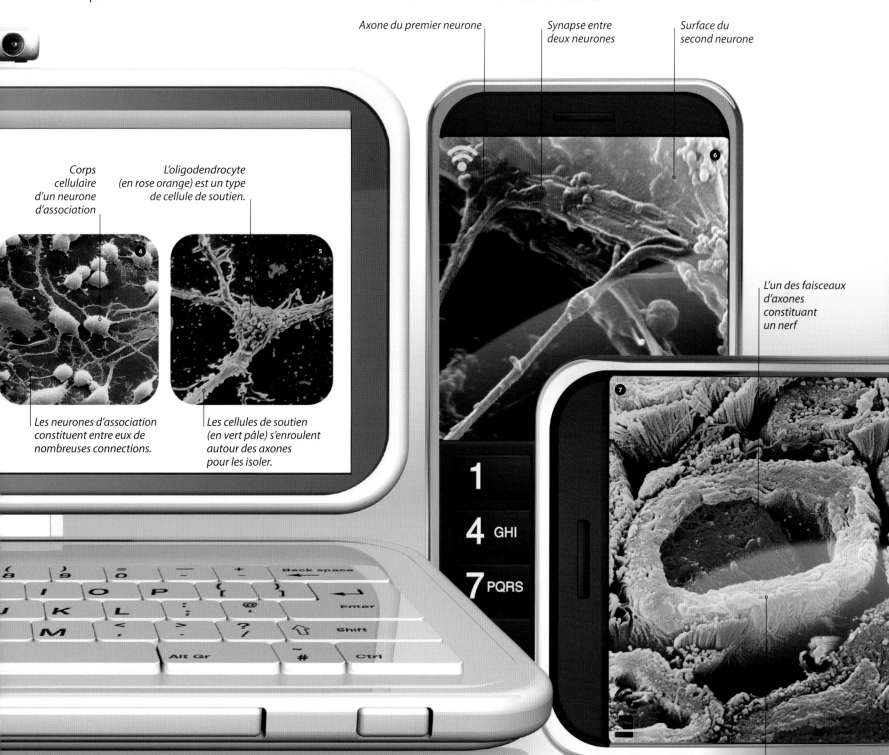

Axone du premier neurone

Synapse entre deux neurones

Surface du second neurone

Corps cellulaire d'un neurone d'association

L'oligodendrocyte (en rose orange) est un type de cellule de soutien.

L'un des faisceaux d'axones constituant un nerf

Les neurones d'association constituent entre eux de nombreuses connections.

Les cellules de soutien (en vert pâle) s'enroulent autour des axones pour les isoler.

Une gaine maintient les faisceaux d'axones réunis dans le nerf.

❺ LES CELLULES DE SOUTIEN

Il existe dix fois plus de cellules de soutien, appelées aussi cellules gliales, que de neurones dans le système nerveux. Leur rôle est d'alimenter et de protéger les neurones. Les oligodendrocytes, par exemple, forment une gaine graisseuse isolante autour des axones de certains neurones qui leur permet de transmettre l'influx nerveux plus rapidement. D'autres cellules de soutien, les astrocytes, apportent aux neurones des éléments nourriciers.

❼ LES NERFS

Les nerfs constituent les « câbles » du système nerveux qui, à partir de l'encéphale et de la moelle épinière, se ramifient pour véhiculer l'influx dans toutes les parties de l'organisme. Chaque nerf est constitué de la réunion en faisceaux de grandes quantités d'axones longs, et est enveloppé d'une gaine externe protectrice. La plupart des nerfs comportent à la fois des axones sensoriels et moteurs.

L'encéphale

L'encéphale humain est constitué de quelque 100 milliards de neurones, dont chacun forme des connections avec des centaines ou des milliers de ses semblables, créant ainsi un gigantesque réseau de contrôle. Bien qu'il ne représente que 2 % du poids du corps, l'encéphale consomme 20 % de toute l'énergie utilisée par l'organisme. Sa partie la plus volumineuse, le cerveau, est celle qui nous permet de percevoir et d'interpréter notre environnement, de nous déplacer de manière contrôlée. Il est le siège de la pensée et de la conscience. Ses deux autres parties sont le cervelet et le tronc cérébral.

❶ LE CORTEX CÉRÉBRAL

Une grande partie des tâches du cerveau s'effectuent dans sa mince couche externe, appelée cortex cérébral. Bien que chaque région, ou aire, du cortex possède un rôle particulier, toutes travaillent en association. Cette « carte » du cerveau présente ces différentes régions. Les aires sensorielles reçoivent les informations des récepteurs sensoriels, les aires motrices envoient des instructions vers les muscles, et les aires d'association interprètent et analysent l'information.

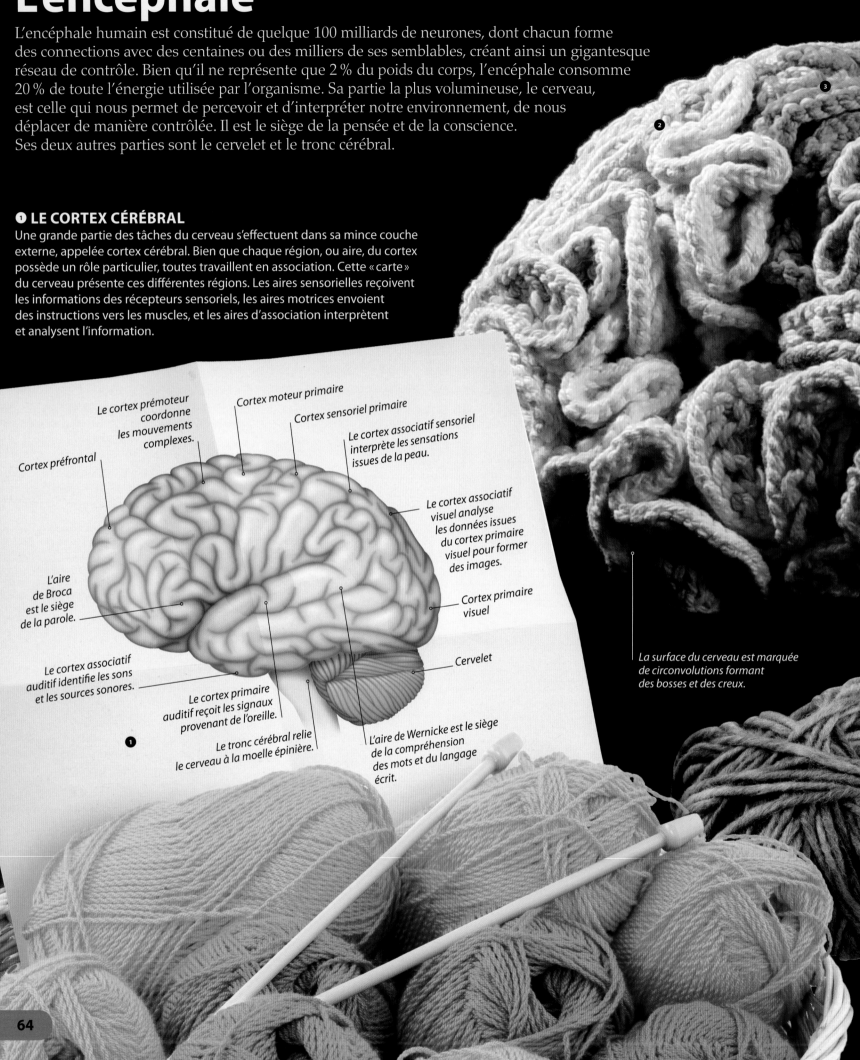

Le cortex prémoteur coordonne les mouvements complexes.

Cortex moteur primaire

Cortex sensoriel primaire

Le cortex associatif sensoriel interprète les sensations issues de la peau.

Cortex préfrontal

Le cortex associatif visuel analyse les données issues du cortex primaire visuel pour former des images.

L'aire de Broca est le siège de la parole.

Cortex primaire visuel

Le cortex associatif auditif identifie les sons et les sources sonores.

Cervelet

Le cortex primaire auditif reçoit les signaux provenant de l'oreille.

❶

Le tronc cérébral relie le cerveau à la moelle épinière.

L'aire de Wernicke est le siège de la compréhension des mots et du langage écrit.

La surface du cerveau est marquée de circonvolutions formant des bosses et des creux.

❷ LE CORTEX PRÉFRONTAL

Partie la plus complexe de l'encéphale, le cortex préfrontal est une aire d'association située dans la partie avant des deux moitiés du cerveau. Il est le siège de la personnalité, de la pensée et de l'apprentissage. C'est lui qui nous permet, entre autres choses, de raisonner et de porter des jugements, de concevoir des idées abstraites, de tenir compte et prendre soin des autres. Il est le siège de l'intelligence et de la conscience.

La moitié gauche du cerveau contrôle la moitié droite du corps et vice versa.

❸ LE CORTEX MOTEUR PRIMAIRE

Avec l'aide d'autres régions du cerveau, le cortex moteur primaire envoie des instructions aux muscles squelettiques pour faire effectuer au corps des mouvements contrôlés et coordonnés. Une autre aire motrice voisine, le cortex prémoteur, intervient dans le contrôle des capacités apprises telles que celles de faire du vélo ou de jouer du violon, en envoyant des signaux aux muscles par l'intermédiaire du cortex moteur primaire. Il joue aussi un rôle dans la planification des mouvements.

❹ LE CORTEX SENSORIEL PRIMAIRE

Le rôle de cette aire du cortex est de nous permettre de ressentir physiquement les éléments qui composent notre environnement. C'est elle qui reçoit et identifie des signaux des récepteurs de toucher, de pression, de chaleur, de froid et de douleur présents dans la peau, et qui localise précisément d'où ces signaux sont partis. Le cortex associatif sensoriel, quant à lui, intègre les données fournies par les aires voisines et fait appel à la mémoire d'expériences précédentes pour interpréter ce qui est ressenti en termes de forme, de texture et de température.

Le tronc cérébral contrôle le rythme cardiaque et la respiration.

La moelle épinière contrôle de nombreuses actions réflexes, qui s'effectuent de manière automatique.

❺ LE CORTEX VISUEL PRIMAIRE

C'est la plus vaste région sensorielle du cortex cérébral, ce qui traduit bien l'importance de la vision. Le cortex visuel primaire reçoit l'influx nerveux en provenance des yeux et l'analyse pour déterminer les mouvements, les couleurs et les formes de ce qui est perçu. Le cortex associatif visuel, voisin, compare ces données avec la mémoire d'autres expériences visuelles afin de déterminer la nature de ce qui est vu. Dans le même temps, d'autres régions situées à l'arrière et sur les côtés du cerveau identifient ce qui est vu et déterminent sa localisation spatiale.

❻ LE CERVELET

Représentant à peu près 10 % du poids de l'encéphale, le cervelet est responsable de la fluidité et de la coordination des mouvements. Il reçoit en permanence des données sur la position du corps et ses moindres mouvements en provenance des yeux, des récepteurs d'étirement situés dans les muscles et les tendons ainsi que des détecteurs d'équilibre de l'oreille interne. En retour, il envoie aux muscles squelettiques, par l'intermédiaire du cortex moteur, des instructions qui déterminent précisément la séquence et le moment de leurs contractions.

❼ LA MOELLE ÉPINIÈRE

Ce cylindre aplati composé de tissu nerveux s'étend dans la colonne vertébrale depuis la base du cerveau jusqu'à la base du dos. Sa fonction est de relayer les signaux entre l'encéphale et les différentes parties du corps, auxquelles elle est reliée par 31 paires de nerfs spinaux qui se ramifient. Plus qu'une simple autoroute de l'information du corps, elle a aussi pour rôle de coordonner de nombreuses actions réflexes qui s'effectuent sans l'intervention de l'encéphale.

Les réflexes

Lorsque nous touchons quelque chose de pointu ou de chaud, nous retirons rapidement nos doigts sans même y penser, ne ressentant la douleur qu'après coup. Ce genre de réaction automatique est appelé un réflexe. De nombreux réflexes, tel celui de retrait décrit ci-dessus, ont pour fonction de nous protéger du danger. Les réflexes de retrait sont commandés par la moelle épinière et non par l'encéphale. Il en existe d'autres types, comme le réflexe d'étirement et ceux que l'on rencontre chez les nouveau-nés.

❷ LES NEURONES SENSORIELS

Ces neurones véhiculent l'influx nerveux issu des récepteurs sensoriels – ici ceux de la douleur situés dans les doigts – vers la moelle épinière, où ils forment des synapses (jonctions) avec d'autres neurones. Les longs axones, ou fibres nerveuses, des neurones sensoriels sont concentrés en faisceaux dans les nerfs, tout comme ceux des neurones moteurs.

❸ LA MOELLE ÉPINIÈRE

Cette vue en coupe de la moelle épinière montre deux zones distinctes. Les tissus appelés matière blanche (apparaissant ici en foncé), situés sur la périphérie, sont constitués de fibres nerveuses qui transportent les signaux vers le haut et le bas de la moelle épinière. La partie interne, faite de matière grise, renferme des neurones d'association qui transmettent les signaux issus des neurones sensoriels aux neurones moteurs lors d'un acte réflexe.

❶ LES RÉCEPTEURS DE LA DOULEUR

Lorsqu'un doigt touche une punaise avec assez de force pour que celle-ci le pique, des récepteurs de la douleur situés juste sous la surface de la peau détectent la piqûre. Soit la pointe de la punaise a touché le récepteur lui-même, soit elle a causé des dommages dans les tissus qui ont libéré des substances chimiques pour stimuler les récepteurs. Dans les deux cas, ces derniers génèrent et envoient un influx nerveux dans les neurones sensoriels.

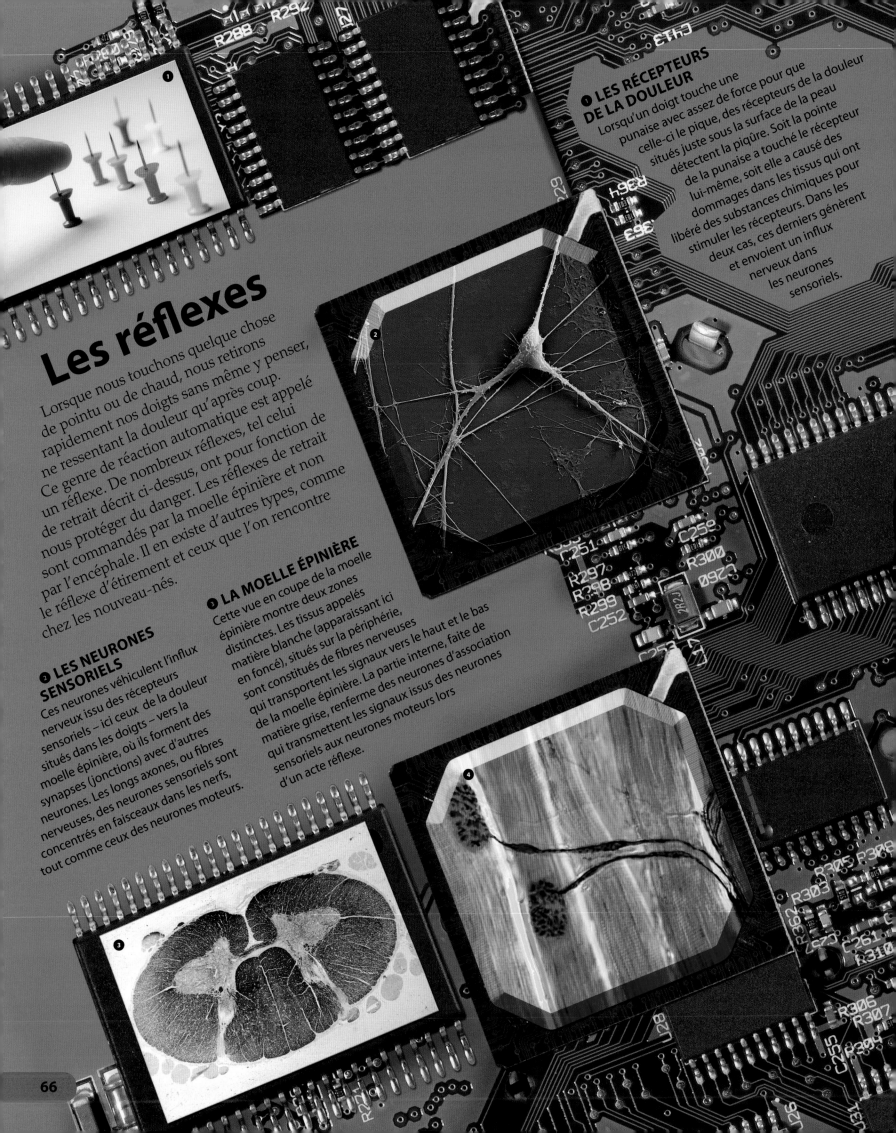

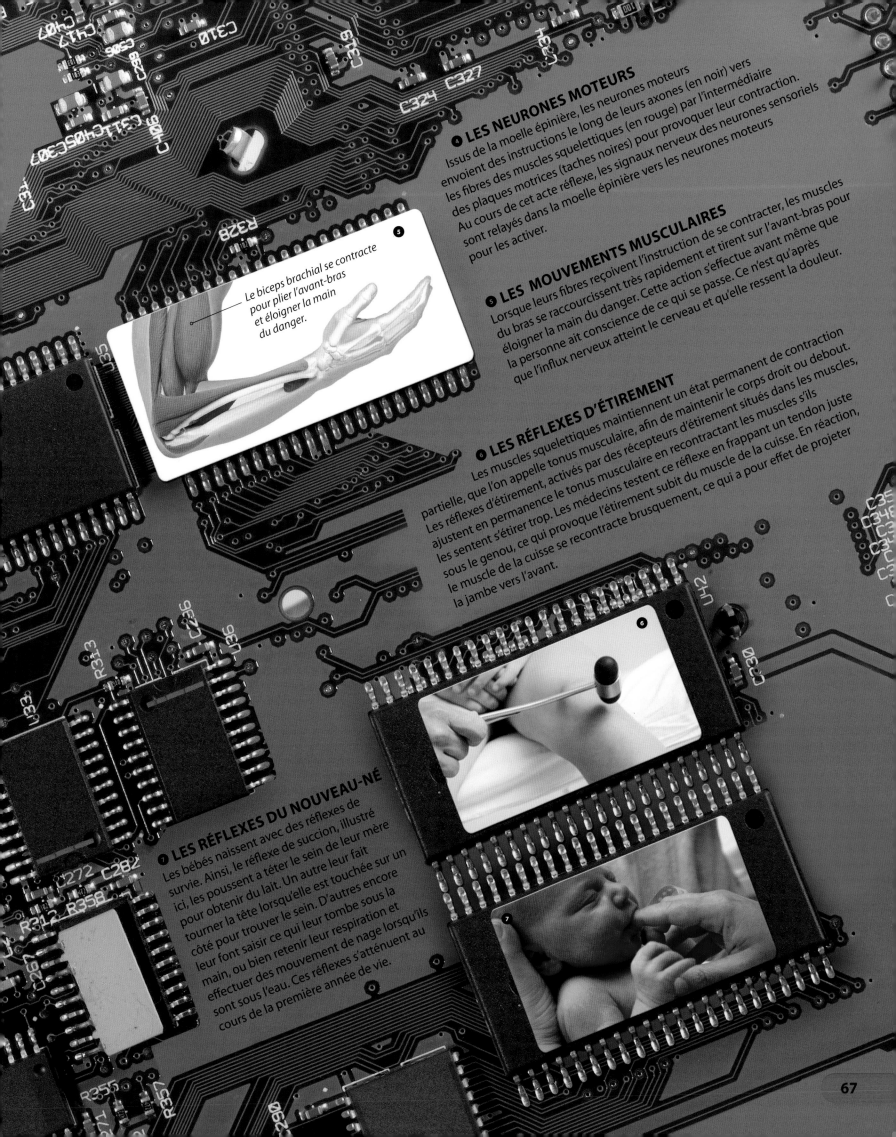

❹ LES NEURONES MOTEURS

Issus de la moelle épinière, les neurones moteurs envoient des instructions le long de leurs axones (en noir) vers les fibres des muscles squelettiques (en rouge) par l'intermédiaire des plaques motrices (taches noires) pour provoquer leur contraction. Au cours de cet acte réflexe, les signaux nerveux des neurones sensoriels sont relayés dans la moelle épinière vers les neurones moteurs pour les activer.

Le biceps brachial se contracte pour plier l'avant-bras et éloigner la main du danger.

❺ LES MOUVEMENTS MUSCULAIRES

Lorsque leurs fibres reçoivent l'instruction de se contracter, les muscles du bras se raccourcissent très rapidement et tirent sur l'avant-bras pour éloigner la main du danger. Cette action s'effectue avant même que la personne ait conscience de ce qui se passe. Ce n'est qu'après que l'influx nerveux atteint le cerveau et qu'elle ressent la douleur.

❻ LES RÉFLEXES D'ÉTIREMENT

Les muscles squelettiques maintiennent un état permanent de contraction partielle, que l'on appelle tonus musculaire, afin de maintenir le corps droit ou debout. Les réflexes d'étirement, activés par des récepteurs d'étirement situés dans les muscles, ajustent en permanence le tonus musculaire en recontractant les muscles s'ils les sentent s'étirer trop. Les médecins testent ce réflexe en frappant un tendon juste sous le genou, ce qui provoque l'étirement subit du muscle de la cuisse. En réaction, le muscle de la cuisse se recontracte brusquement, ce qui a pour effet de projeter la jambe vers l'avant.

❼ LES RÉFLEXES DU NOUVEAU-NÉ

Les bébés naissent avec des réflexes de survie. Ainsi, le réflexe de succion, illustré ici, les poussent a téter le sein de leur mère pour obtenir du lait. Un autre leur fait tourner la tête lorsqu'elle est touchée sur un côté pour trouver le sein. D'autres encore leur font saisir ce qui leur tombe sous la main, ou bien retenir leur respiration et effectuer des mouvement de nage lorsqu'ils sont sous l'eau. Ces réflexes s'atténuent au cours de la première année de vie.

La mémoire

Être capable de se souvenir d'expériences passées est essentiel
au développement de notre existence. La mémoire nous permet d'apprendre,
de créer, de comprendre le monde qui nous entoure. Il existe trois niveaux
de mémoire. La mémoire sensorielle nous permet d'appréhender notre environnement
durant une fraction de seconde. La mémoire à court terme nous permet de retenir
provisoirement les choses dont nous avons besoin à un moment donné. Enfin, la mémoire
à long terme, dont il existe trois types, nous permet de conserver tout au long d'une vie
le souvenir de savoir-faire que nous avons acquis, de faits
et d'événements qui se sont produits.

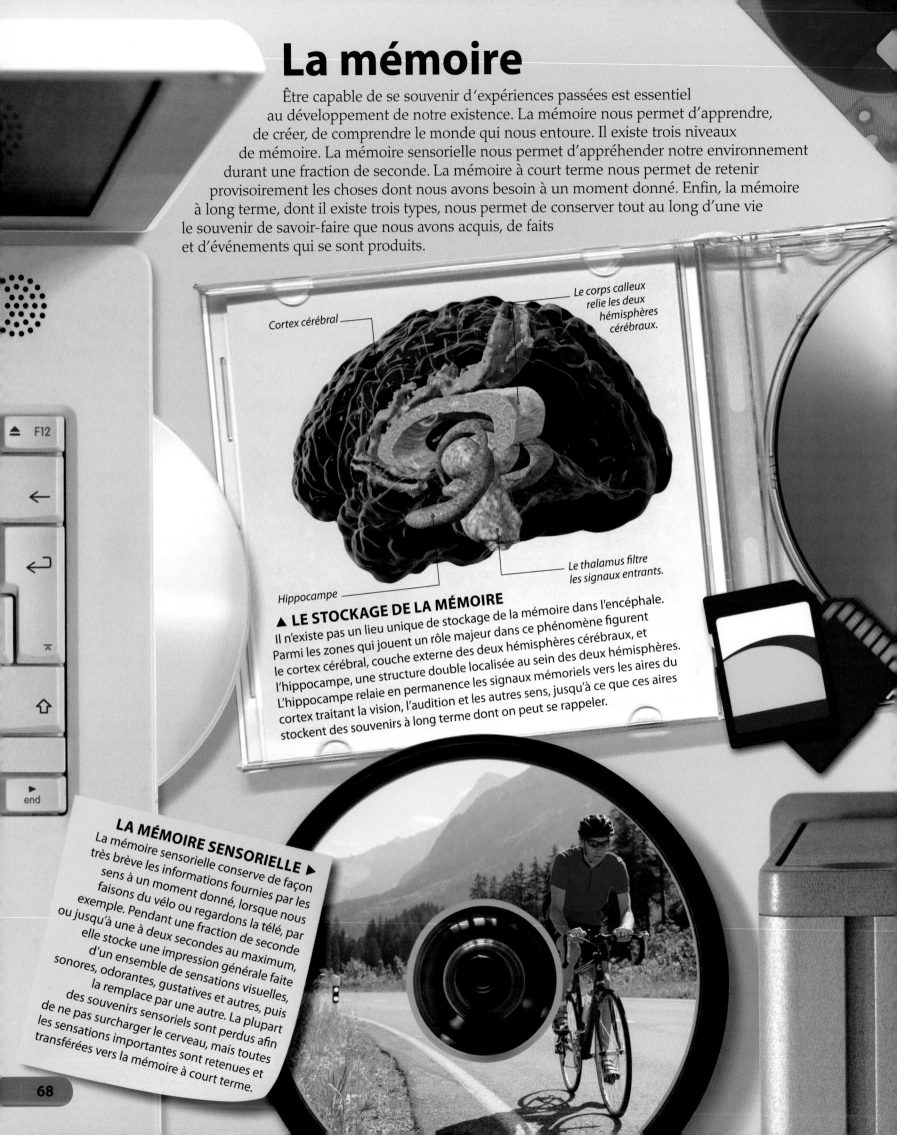

Cortex cérébral

Le corps calleux
relie les deux
hémisphères
cérébraux.

Le thalamus filtre
les signaux entrants.

Hippocampe

▲ LE STOCKAGE DE LA MÉMOIRE

Il n'existe pas un lieu unique de stockage de la mémoire dans l'encéphale.
Parmi les zones qui jouent un rôle majeur dans ce phénomène figurent
le cortex cérébral, couche externe des deux hémisphères cérébraux, et
l'hippocampe, une structure double localisée au sein des deux hémisphères.
L'hippocampe relaie en permanence les signaux mémoriels vers les aires du
cortex traitant la vision, l'audition et les autres sens, jusqu'à ce que ces aires
stockent des souvenirs à long terme dont on peut se rappeler.

LA MÉMOIRE SENSORIELLE ▶

La mémoire sensorielle conserve de façon
très brève les informations fournies par les
sens à un moment donné, lorsque nous
faisons du vélo ou regardons la télé, par
exemple. Pendant une fraction de seconde
ou jusqu'à une à deux secondes au maximum,
elle stocke une impression générale faite
d'un ensemble de sensations visuelles,
sonores, odorantes, gustatives et autres, puis
la remplace par une autre. La plupart
des souvenirs sensoriels sont perdus afin
de ne pas surcharger le cerveau, mais toutes
les sensations importantes sont retenues et
transférées vers la mémoire à court terme.

◀ LA MÉMOIRE À COURT TERME

Seules les plus significatives des sensations que nous éprouvons sont mémorisées. C'est le rôle de la mémoire à court terme, qui stocke des données juste assez longtemps pour nous permettre de les utiliser. Par exemple, lorsque nous lisons un numéro de téléphone, c'est la mémoire à court terme qui le retient le temps que nous le composions sur le clavier. La plupart des souvenirs à court terme sont conservés pendant quelques secondes puis oubliés, mais les plus importants sont transférés vers la mémoire à long terme.

LA MÉMOIRE PROCÉDURALE ▶

La mémoire procédurale, l'un des trois types de mémoire à long terme, est localisée en profondeur dans le cerveau. Elle stocke tous les savoir-faire appris par la pratique, depuis les plus basiques comme ceux de la marche, jusqu'aux plus complexes comme la pratique d'un instrument de musique. Une fois fixées dans la mémoire procédurale, toutes ces pratiques acquises sont rarement perdues.

LA MÉMOIRE SÉMANTIQUE ▶

Notre capacité à lire et à comprendre le sens des mots que nous lisons est due à la mémoire sémantique. Localisée dans les côtés du cerveau, celle-ci stocke les mots et le langage appris au cours de notre enfance, à l'école et ailleurs, ainsi que de nombreux faits et leur signification. Elle nous permet de comprendre ce que nous avons sous les yeux.

LA MÉMOIRE ÉPISODIQUE ▶

Les souvenirs que l'on conserve de vacances passées ou d'un premier jour d'école sont dus à la mémoire épisodique. Localisée dans différentes parties du cortex cérébral, telles les aires de la vision et de l'ouïe, la mémoire épisodique stocke les souvenirs d'événements spécifiques de l'existence. Une des façons de la solliciter est de regarder des photos. Cela active les parties du cortex concernées de telle sorte qu'elles recréent l'événement.

◀ COMMENT ON ACQUIERT DES SOUVENIRS

Alors que la plupart des sensations ne durent que quelques secondes, certaines d'entre elles, comme les visions, les odeurs et les sons éprouvés par exemple lors d'un bon moment passé dans une fête foraine, peuvent laisser une forte impression. Issues de la mémoire à court terme, ces sensations sont traitées par l'hippocampe et sont finalement transférées vers la mémoire à long terme dans le cortex cérébral. Là, les cellules nerveuses génèrent de nouvelles connections entre elles afin de créer un «réseau mémoriel», grâce auquel les souvenirs peuvent être stockés et rappelés tout au long de la vie.

Le sommeil

Nous connaissons quotidiennement deux états différents d'existence : l'éveil, durant lequel nous sommes en état de veille pleinement consciente, et le sommeil. Ce dernier est un état de conscience altéré duquel nous pouvons être tirés. Durant le sommeil, le cerveau reste actif, notamment pendant le sommeil paradoxal, mais notre esprit est généralement coupé du monde qui nous entoure. Les raisons pour lesquelles nous nous endormons ne sont pas parfaitement connues, bien que nous tombions malades si nous sommes privés de sommeil. Celui-ci permet certainement au corps de se reposer et offre au cerveau un temps de vie ralentie au cours duquel il traite les événements intervenus la veille et transfère certains d'entre eux dans la mémoire.

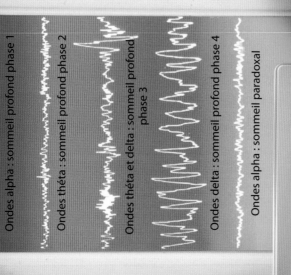

LES ONDES ENCÉPHALIQUES ▶

Lorsque les cellules nerveuses du cerveau communiquent entre elles, elles génèrent des suites de signaux électriques appelées ondes encéphaliques, que nous pouvons détecter et transcrire sous la forme de graphiques appelés électro-encéphalogrammes (EEG, ci-contre). Les EEG montrent qu'il existe quatre grands types de base d'ondes encéphaliques : les ondes béta, alpha, théta et delta. Les ondes béta sont produites lorsque nous sommes en éveil, l'esprit en alerte. Les autres types interviennent au cours des différentes phases du sommeil.

Ondes béta : état d'éveil

Ondes alpha : sommeil profond phase 1

Ondes théta : sommeil profond phase 2

Ondes théta et delta : sommeil profond phase 3

Ondes delta : sommeil profond phase 4

Ondes alpha : sommeil paradoxal

◀ MUSCLES RELÂCHÉS

Lorsque nous sommes éveillés, certains de nos muscles, notamment dans le cou, le dos et les jambes, restent partiellement contractés. Cette contraction partielle, appelée tonus musculaire, nous permet de maintenir notre posture en supportant le corps et en le maintenant dressé. Lorsque nous dormons, le tonus musculaire disparaît quasi complètement. On le voit bien quand quelqu'un s'endort sur une chaise. La tête tombe en avant ou sur le côté et le corps devient lâche.

СЛАБЫЙ СИГНАЛ

ОШИБКА ПУЛЬСА

ОШИБКА SpO₂

НЕИСПР. ДАТЧИК

LE BÂILLEMENT ▶

Une personne qui bâille ouvre grand la bouche et prend une profonde inspiration. Nous bâillons généralement lorsque nous sommes fatigués ou quand nous nous ennuyons, mais la raison pour laquelle le bâillement intervient reste un mystère. On a cru qu'il servait à évacuer le dioxyde de carbone présent en excès dans les poumons, mais les scientifiques remettent aujourd'hui cette idée en question. Une autre explication suggère que cela permettrait de refroidir l'encéphale en surchauffe. Quoi qu'il en soit, le bâillement est contagieux : lorsque quelqu'un se met à bâiller, les autres personnes en sa présence ne tardent pas à en faire autant.

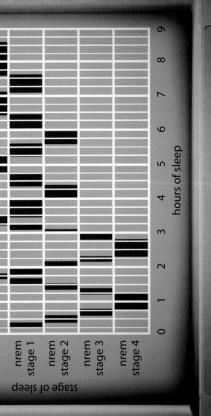

Graph axes:
- stage of sleep: awake, rem, nrem stage 1, nrem stage 2, nrem stage 3, nrem stage 4
- hours of sleep: 0 1 2 3 4 5 6 7 8 9

◀ LA QUANTITÉ DE SOMMEIL

Nous passons environ un tiers de notre vie à dormir, mais la quantité de sommeil dont nous avons besoin décroît avec l'âge. Les bébés nouveau-nés dorment jusqu'à 18 heures par jour, bien que les parents fatigués n'en aient pas toujours conscience. Un enfant a besoin de onze heures de sommeil en moyenne, un chiffre qui se réduit à dix heures pour les adolescents. Les jeunes adultes dorment en moyenne huit heures par nuit, tandis que les personnes plus âgées peuvent se contenter de seulement cinq à six heures.

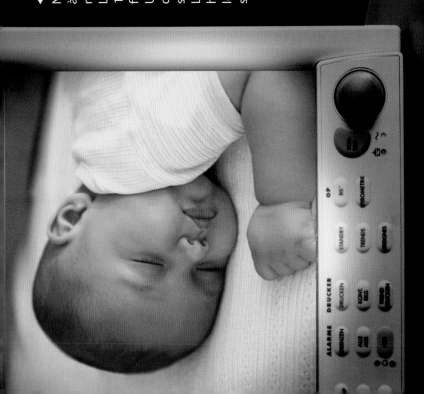

Une électrode posée sur la peau détecte l'activité électrique des neurones de l'encéphale.

◀ LES PHASES DU SOMMEIL

Une nuit de sommeil typique suit un schéma régulier. Un dormeur passe d'abord par quatre phases de sommeil profond, durant lesquelles l'activité de l'encéphale décroît fortement. Elles sont suivies par une phase de sommeil paradoxal, au cours de laquelle le cerveau est actif et les rêves se produisent. Mais les muscles sont alors comme paralysés, à l'exception de ceux des yeux qui effectuent des mouvements rapides. Ce cycle de sommeil profond et paradoxal se répète plusieurs fois par nuit, la proportion de sommeil paradoxal augmentant jusqu'au moment du réveil.

▶ L'ÉTUDE DU SOMMEIL

Les raisons et les mécanismes du sommeil ne sont pas bien connus. Mais ce sujet fascine les scientifiques et les psychologues depuis longtemps. L'une des façons d'étudier le sommeil consiste à enregistrer l'activité électrique des millions de neurones de l'encéphale d'une personne qui dort. Cette activité est détectée au moyen d'électrodes que l'on place sur la peau du cuir chevelu et du visage. Celles-ci sont reliées par des fils conducteurs à un électroencéphalographe, un appareil qui interprète les signaux électriques captés sous la forme d'ondes encéphaliques.

La vue

Notre sens le plus important, la vue, fournit au cerveau d'énormes quantités d'informations sur notre environnement. Les yeux, insérés dans le crâne et protégés par leur orbite osseuse, ainsi que par les paupières et, d'une manière différente, par les larmes, contiennent environ 70 % des récepteurs sensoriels de l'organisme. Ils fonctionnent comme des caméras numériques, effectuant de manière automatique la focalisation des rayons lumineux sur la rétine et le contrôle de la quantité de lumière qui les pénètre. Ils génèrent des signaux qu'ils envoient au cerveau, lequel recrée les images que nous voyons.

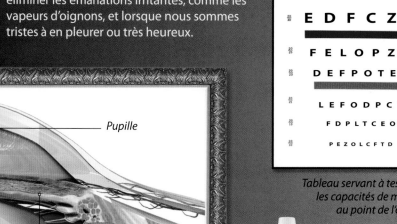

◀ LES LARMES

L'avant de l'œil est constamment humecté et nettoyé par les larmes, produites par une glande située sous le sourcil. Les larmes sont étalées lorsque nous clignons des paupières. Outre leur fonction de nettoyage des poussières, elles contiennent le lysozyme, une protéine qui tue les bactéries. Leur sécrétion augmente pour éliminer les émanations irritantes, comme les vapeurs d'oignons, et lorsque nous sommes tristes à en pleurer ou très heureux.

Tableau servant à tester les capacités de mise au point de l'œil.

Cornée

Pupille

Cristallin

Iris

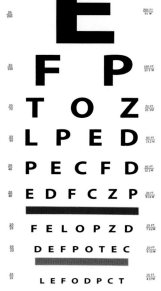

▲ LA MISE AU POINT

Cette vue en coupe de la partie avant de l'œil montre la cornée et la lentille naturelle située juste derrière, appelée cristallin. Les rayons lumineux réfléchis ou produits par les objets que nous regardons traversent la cornée et le cristallin, qui sont transparents, puis atteignent la rétine, à l'arrière du globe oculaire. Pour produire une image nette, les rayons doivent être focalisés, c'est-à-dire mis au point sur la rétine. C'est le cristallin qui se charge de cette opération. Celui-ci est élastique et, sous l'action de petits muscles, change de forme pour effectuer cette mise au point des objets proches ou lointains.

◀ L'IRIS ET LA PUPILLE

La partie colorée de l'œil, l'iris (ici en orange), entoure la pupille (en bleu), ouverture par laquelle la lumière entre dans l'œil. Quand celle-ci est vive, de minuscules muscles dans l'iris réduisent le diamètre de la pupille pour réduire la quantité de lumière qui pénètre et éviter l'éblouissement. Quand la lumière est faible, ils en augmentent le diamètre pour laisser entrer plus de rayons lumineux. Cette action réflexe s'effectue de façon automatique et permet à l'œil de fonctionner dans des conditions de luminosité très variées.

Le phoropter est un appareil d'examen de l'œil permettant de déterminer la correction à appliquer à des verres de lunettes.

LA RÉTINE ▶

L'arrière du globe oculaire est couvert, sur sa face interne, d'une fine couche appelée rétine. Celle-ci est garnie de photorécepteurs, des cellules qui détectent la lumière et dont il existe deux types, comme on le voit sur cette microphotographie. Les bâtonnets (en rose), au nombre d'environ 120 millions, fonctionnent mieux par faible lumière et voient en noir et banc. Ils assurent la vision nocturne. Les cônes (en vert), au nombre d'environ six millions, fonctionnent mieux en lumière vive et nous fournissent notre vision diurne en couleurs.

▼ LE CORTEX VISUEL

L'interprétation des informations visuelles s'effectue dans le cortex visuel, situé à l'arrière du cerveau. Lorsque la lumière frappe la rétine, celle-ci envoie des signaux dans le nerf optique. Les signaux issus de la partie droite de chaque rétine parviennent dans le cortex visuel droit, et ceux de la partie gauche dans le cortex visuel gauche. Là, les signaux sont traités, comparés et interprétés sous la forme d'images mouvantes tridimensionnelles.

LES MOUVEMENTS DES YEUX ▼

Nos yeux bougent constamment. Même lorsque nous regardons des objets statiques, ils effectuent de petits mouvements rapides et saccadés pour balayer toutes les parties de la scène. Ils sont aussi capables de mouvements plus amples et réguliers lorsqu'ils suivent des objets en déplacement. Ces mouvements précis de l'œil sont produits par six muscles oculomoteurs, attachés d'un côté au globe oculaire, de l'autre à son orbite osseuse.

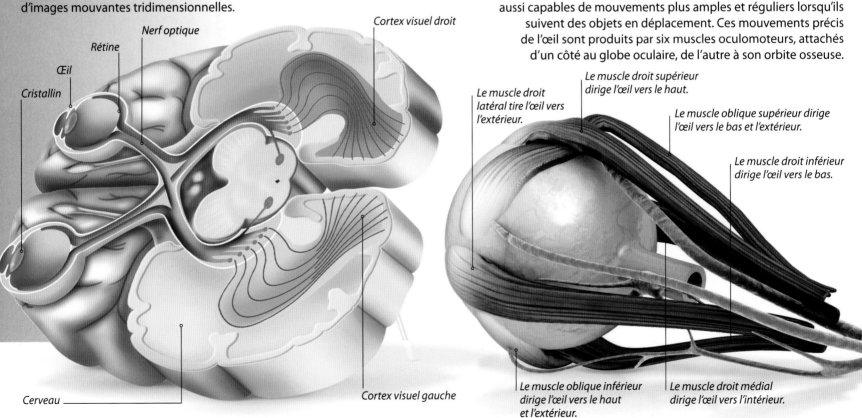

Nerf optique

Rétine

Œil

Cristallin

Cortex visuel droit

Le muscle droit latéral tire l'œil vers l'extérieur.

Le muscle droit supérieur dirige l'œil vers le haut.

Le muscle oblique supérieur dirige l'œil vers le bas et l'extérieur.

Le muscle droit inférieur dirige l'œil vers le bas.

Cerveau

Cortex visuel gauche

Le muscle oblique inférieur dirige l'œil vers le haut et l'extérieur.

Le muscle droit médial dirige l'œil vers l'intérieur.

L'ouïe

Notre sens de l'ouïe nous permet de détecter les sons, qu'ils soient infimes comme celui produit par la chute d'une aiguille, ou très puissants comme le grondement d'un avion de ligne. Certains sons nous procurent du plaisir, d'autres nous permettent de communiquer ; il en est aussi qui nous avertissent d'un danger. Ils sont produits par des sources qui vibrent et génèrent des ondes de pression dans l'air. Ces ondes sont détectées par les oreilles. Celles-ci envoient alors des signaux au cerveau, où ils sont analysés et comparés avec des sons précédemment entendus et mis en mémoire, afin que nous puissions les identifier.

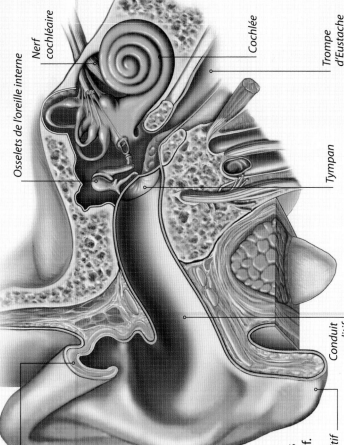

Cartilage

Osselets de l'oreille interne

Nerf cochléaire

Cochlée

Trompe d'Eustache

Tympan

Conduit auditif

Pavillon auditif

LA STRUCTURE DE L'OREILLE ▶

Ce que nous appelons couramment l'oreille n'est, en fait, que sa partie externe : le pavillon, dont le rôle est de collecter et diriger les ondes sonores vers le reste de l'appareil auditif. L'essentiel de celui-ci est dissimulé et protégé par les os du crâne. Le conduit auditif emporte les sons vers le tympan. Les vibrations du tympan sont alors converties en mouvements par trois osselets qui occupent l'oreille moyenne. Ces mouvements traduisent les ondes de pression sonores et les transmettent au fluide qui remplit la cochlée, un organe spiralé dans l'oreille interne. C'est la cochlée qui génère alors les signaux qui seront envoyés au cerveau par le nerf auditif.

▼ LES CELLULES CILIÉES

Cette microphotographie montre des rangées de cils en forme de U (à gauche) sortant de l'une des quelque 15 000 cellules auditives présentes dans la cochlée (à droite), qui détectent le son. Les sons qui pénètrent provoquent des ondes dans le fluide remplissant la cochlée. Ces ondes courbent les cils, ce qui suscite l'émission de signaux électriques par les cellules auditives. Ces signaux circulent le long des fibres nerveuses qui composent le nerf cochléaire. Celui-ci transporte les signaux vers le cerveau, où ils sont interprétés sous la forme de sons reconnaissables.

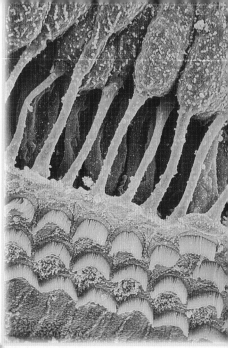

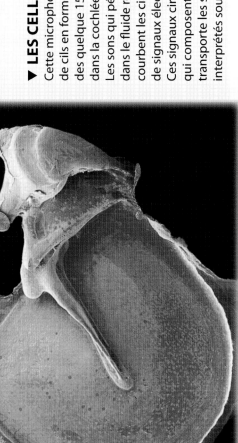

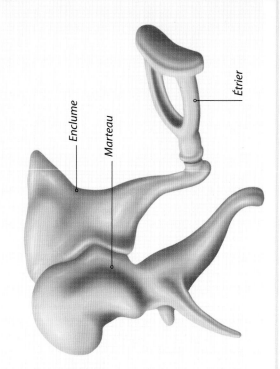

Enclume

Marteau

Étrier

◀ LES OSSELETS DE L'OREILLE MOYENNE

Trois minuscules os appelés osselets, reliés par des articulations synoviales, occupent l'oreille moyenne et transmettent les vibrations du tympan vers l'oreille interne. On les nomme, en fonction de leur forme, le marteau (le plus proche du tympan), l'enclume et l'étrier. Lorsque le tympan vibre, les osselets s'animent de mouvements d'allers et retours et l'étrier agit comme un piston qui produit des vibrations dans l'oreille interne remplie d'un fluide.

▲ LE TYMPAN

Tendue comme la peau d'un tambour, cette mince membrane ferme l'extrémité du conduit auditif, séparant celui-ci de l'oreille moyenne. Lorsque les ondes sonores qui pénètrent le conduit auditif atteignent le tympan, elle le font vibrer. Celui-ci transmet ses vibrations aux osselets. On voit ici la surface interne du tympan (en rose), et le marteau – l'un des osselets – qui lui est rattaché.

▶ LES FRÉQUENCES SONORES

La hauteur d'un son, c'est-à-dire le fait qu'il soit grave ou aigu, dépend de sa fréquence. Il s'agit du nombre de vibrations qu'il produit en une seconde. L'unité de mesure de la fréquence est le hertz (Hz). La gamme de sons perçue par les jeunes adultes varie de 20 Hz (son grave, de basse fréquence) à 20 000 Hz (son aigu, de haute fréquence). Cette gamme se réduit avec l'âge, notamment dans les hautes fréquences. Les chauves-souris utilisent des sons de très haute fréquence pour naviguer et attraper leurs proies dans le noir total, pouvant détecter des sons hyperaigus jusqu'à la fréquence de 120 000 Hz : des sonorités totalement inaudibles pour l'homme !

▶ LES TROMPES D'EUSTACHE

Si la pression de l'air dans l'oreille moyenne n'est pas la même que celle de l'air extérieur, le tympan ne peut pas vibrer librement et notre capacité auditive diminue : l'oreille semble se boucher. L'équilibrage de la pression entre oreille moyenne et air extérieur s'effectue par l'intermédiaire de la trompe d'Eustache, un conduit qui relie l'oreille moyenne à l'arrière-gorge. Si la pression extérieure change subitement, comme cela peut se produire dans un avion qui décolle, par exemple, le fait de bâiller ou de déglutir permet souvent d'ouvrir la trompe d'Eustache écrasée et de compenser la pression dans l'oreille moyenne : l'oreille se « débouche » alors.

L'équilibre

L'équilibre, debout sur nos jambes, nous effectuons un mouvement et susceptible de basculer. Ce qui nous naturellement de tomber, l'équilibre n'est pas un sens qui dépendent types de évite alors de nous tenir droits et nous empêche de chuter lorsque notre posture et nos permet de percevoir les récepteurs. Il est rendu possible grâce à des données concernant le continu Contrairement à l'action des récepteurs en permanence qui nos ceux-ci ajustent qui d'un unique qui réagit à la vision, l'équilibre et à l'encéphale des signaux afin que récepteurs. Celui-ci réagit en envoyant l'empêcher de tomber. mouvement de notre corps afin de l'empêcher de tomber. la position du corps.

Chaque fois que, debout sur nos jambes, nous effectuons un mouvement et susceptible de basculer. Ce qui nous naturellement de tomber, l'équilibre n'est pas un sens qui dépendent types de évite alors de nous tenir droits et nous empêche.

● LE CERVEAU

Le cerveau reçoit un flot continuel d'informations du corps dans Le cervelet reçoit les mouvements en grande partie de récepteurs concernant la vitesse et la direction par des récepteurs. Ceux-ci détectent de ses récepteurs. Elles proviennent de l'oreille interne. Ceux-ci détectent par des récepteurs situés dans l'espace. Elles fournissent leur état d'étirement la tête ainsi que la vitesse et détectent encore des images qui espace situés sur également qui détectent encore des images qui espace situés dans les muscles viennent du toucher qui la tête ainsi que la vitesse et détectent aux muscles en réaction Des données dans les informations des récepteurs vient leur contraction Une part les yeux, ainsi que du corps. En instruction leur contraction par les yeux, posture envoient avec précision le moindre perçoivent moteur contrôlant immédiatement en réaction. et le cortex, contrôlant immédiatement le mouvement squelettiques compensent afin qu'ils compensent le corps. déséquilibre du corps.

Le cortex moteur envoie des instructions aux muscles.

Le cortex sensoriel reçoit des messages des récepteurs.

Le cervelet coordonne la contraction musculaire.

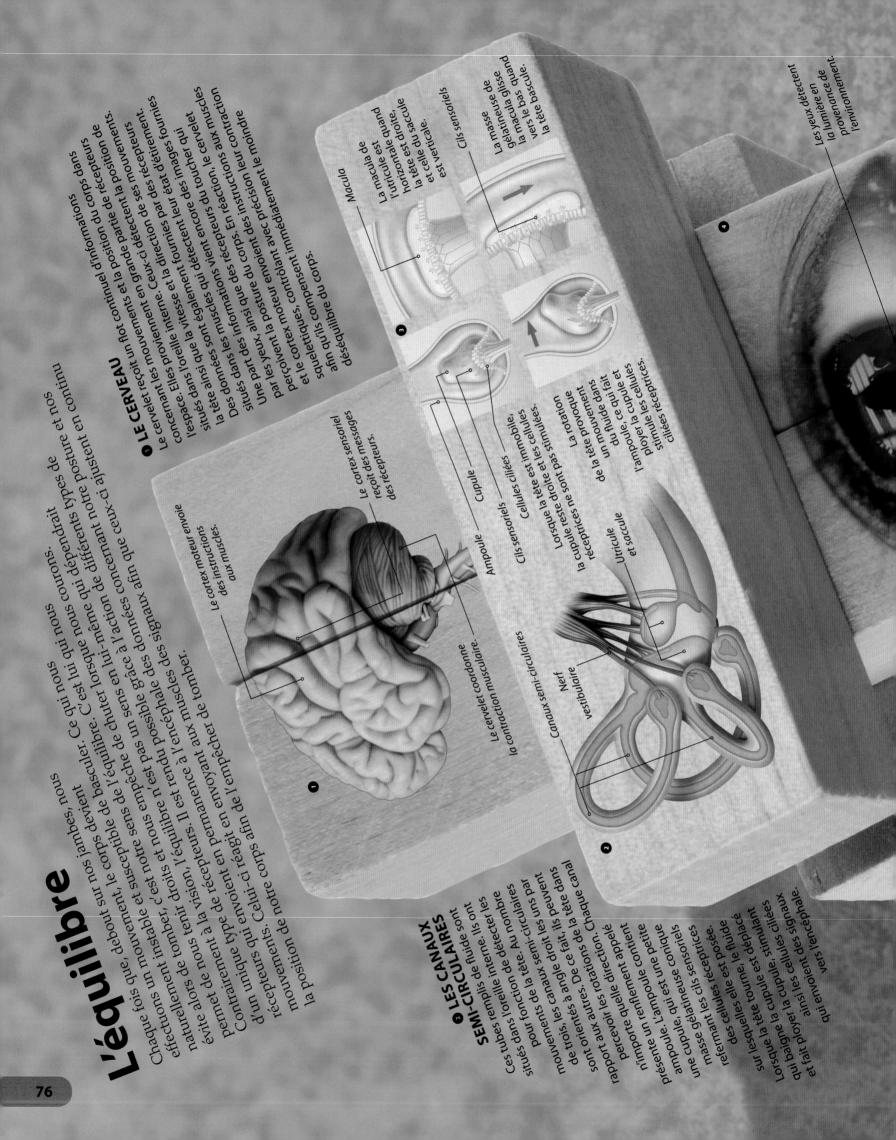

● LES CANAUX SEMI-CIRCULAIRES sont

des tubes remplis de fluide interne. Ils ont Ces tubes remplis de détecter les situés dans l'oreille interne. Au nombre pour la fonction de la tête. Au nombre mouvements, les canaux semi-circulaires par de trois, les canaux droit les uns par sont orientés à angle droit, la tête dans rapport aux rotations. Chaque canal percevoir quelle direction. Chaque canal masse gélatineuse sensoriels refermant les cils sensoriels présente une petite des cellules elle est posée. ampoule, qui est conique sur lesquelles la cupule est déplacé ampoule, qui est conique Lorsque la cupule, le fluide qui baigne la cupule, stimulant et fait ployer la cupule et signaux ainsi les cellules ciliées ainsi les cellules des signaux vers l'encéphale.

Ampoule — Cupule

Cils sensoriels, Cellules est immobile, Cellules ciliées et les cellules

Lorsque la tête reste droite et les stimulées la cupule ne sont pas stimulées La rotation réceptrices de la tête provoque un fluide qui fait du fluide dans l'ampoule, ce qui et ployer la cupule et stimule les cellules ciliées réceptrices.

Nerf vestibulaire

Canaux semi-circulaires

Utricule et saccule

● ② ①

● LE CERVEAU (section droite)

Macula

La macula de l'utricule quand horizontale glisse la tête est bascule. et celle verticale est verticale.

La masse de gélatineuse glisse la macula quand vers le bas quand la tête bascule.

Cils sensoriels

③

④

Les yeux détectent en la lumière de provenance de l'environnement.

③ LE VESTIBULE

Cette partie de l'oreille interne est composée de deux organes de l'équilibre : l'utricule et le saccule. Chacun contient une macula. Cette masse gélatineuse est posée sur les cils sensoriels des cellules réceptrices sur lesquelles elle est posée, constituée d'une masse gélatineuse renfermant les cils sensoriels des cellules réceptrices ou un ascenseur. Toute accélération subie par la tête récptrices sur lesquelles elle est posée, corps, dans un basculement de la masse gélatineuse provoque l'émission de signaux vers le cerveau et déclenche l'émission de signaux par exemple, ou un basculement de la masse gélatineuse provoque le saccule et déclenche l'émission de signaux dans l'utricule ou le saccule ou les cellules sensorielle.

④ LES YEUX

dans l'utricule ou les cellules sensorielle. Les données sensorielles jouent un rôle important dans l'équilibre. Les indices en provenance des yeux jouent un rôle corps, ou un déplacement de la tête provoque un déplacement et déclenche. Les données sensorielles. Les indices en provenance des yeux sont interprétés du important et l'aident à déterminer la position du mouvements avec d'autres l'encéphale et l'aident à déterminer la position en personne se tient sur un l'encéphale. Parfois, néanmoins, ils peuvent entrer en position immobile que corps et créer la confusion, comme le corps est en position immobile. Cela peut provoquer de bateau. Les images et les signaux suggèrent de l'équilibre, qui indiquent le mal de mer. signaux et créer la confusion, comme le corps est en opposition se tient sur un entrent alors en conflit avec les signaux en bas. Cela peut provoquer le corps subit un mouvement de haut en bas. Les images avec les signaux le corps subit un mouvement de haut en bas.

⑤ LES RÉCEPTEURS DU TOUCHER debout, nos pieds subissent une force liée une Lorsque nous nous tenons vers le bas liée une pieds subissent une force contrebalancée par le sol. au poids du corps, opposée des force égale vers le haut, comprimant situés récepteurs des pieds. L'immobilité, au poids du corps, opposée et de pression. Ces forces déforment et de pression. L'immobilité, récepteurs des pieds exercent ces récepteurs, sur la plante ou la course sur ces récepteurs récepteurs des pieds exercent à l'encéphale des la marche ou la course sur ces récepteurs pressions des signaux à l'encéphale qui envoient des signaux à la position du corps. afin de le renseigner sur la position des pieds et les mouvements du corps.

⑥ LES RÉCEPTEURS D'ÉTIREMENT

Ces récepteurs fournissent nerveux Ces récepteurs au système sur la posture Ces récepteurs fournissent sur les muscles en permanence des informations les muscles central des informations dans les tendon en permanence des informations dans le corps. Présents détectent du tendon et les tendons, ils détectent la fibre ou du tendon et envoient des informations d'étirement ces informations et envoient ces informations à l'encéphale. Ce dernier répond par des instructions à l'encéphale pour éviter de contraction ne s'étire trop. répond par des instructions de contraction pour éviter que le muscle ne s'étire trop.

Des récepteurs dans la peau détectent le toucher et la pression. Des récepteurs dans la peau détectent le toucher et la pression.

Les fibres musculaires se contractent pour maintenir la ou modifier la position du corps.

Dans certains muscles, des récepteurs spécialisés détectent leur état d'étirement.

⑤

⑥

Le goût et l'odorat

Nos sens du goût et de l'odorat fonctionnent de façon très similaire. Tous deux détectent des substances dissoutes grâce à des récepteurs localisés sur la langue pour le premier, et dans le nez pour le second. Agissant conjointement, ils nous permettent d'apprécier les odeurs de notre environnement et la saveur des aliments et des boissons. Ce partenariat est toutefois inégal, l'odorat étant près de 10 000 fois plus sensible que le goût. Ces sens jouent également le rôle d'avertisseurs de danger potentiel lorsqu'ils nous signalent un goût bizarre ou une odeur suspecte.

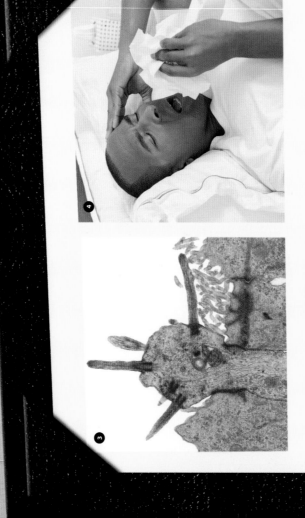

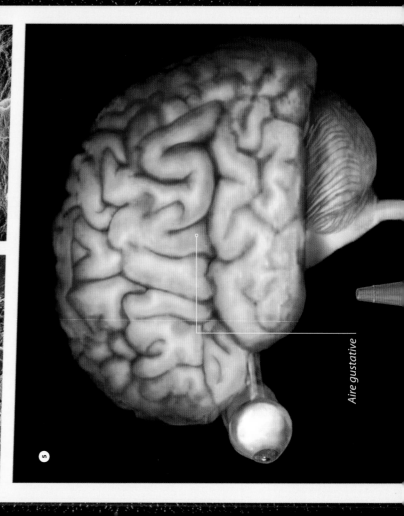

Aire gustative

● LA SURFACE DE LA LANGUE

Lorsque nous regardons la surface de notre langue dans un miroir, nous constatons qu'elle est recouverte de nombreux petits renflements. Ceux-ci sont appelés papilles et l'on en voit de deux types sur cette microphotographie. Ceux en forme de champignons abritent les bourgeons gustatifs qui détectent le goût des différents aliments et boissons que nous ingérons. Ceux qui présentent un aspect filiforme n'ont pas de fonction gustative mais ils jouent un rôle important en permettant aux aliments d'adhérer à la langue durant la mastication. La langue porte également des détecteurs spécialisés de la chaleur et du froid, ainsi que des récepteurs de la douleur qui détectent le piquant de certains aliments comme les piments.

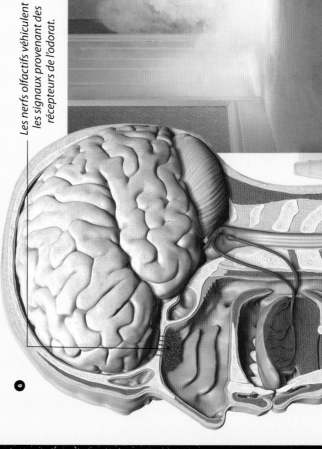

Les nerfs olfactifs véhiculent les signaux provenant des récepteurs de l'odorat.

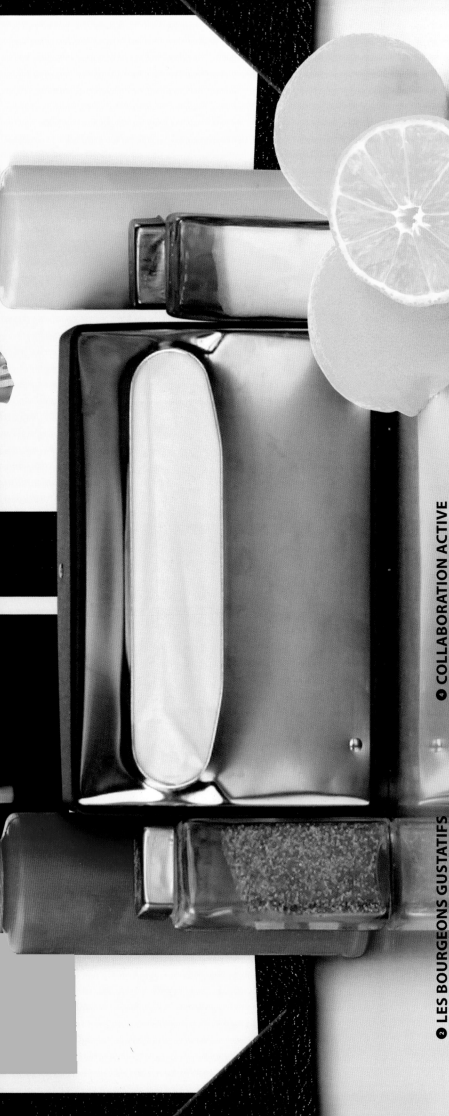

❷ LES BOURGEONS GUSTATIFS

Les quelque 10 000 bourgeons gustatifs qui tapissent la langue ne détectent que cinq saveurs primaires : le sucré, l'acide, le salé, l'amer et l'umami (mot d'origine japonaise désignant la saveur d'un bouillon de viande). Les bourgeons gustatifs sont localisés au sommet et sur les côtés de certaines papilles. Cette microphotographie montre un pore gustatif qui s'ouvrant sur un bourgeon gustatif qui renferme des cellules réceptrices. Lorsque nous mangeons, les molécules porteuses de goût de la nourriture se dissolvent dans la salive, passent par les pores gustatifs et sont détectées par les récepteurs. Ces derniers envoient des signaux vers l'aire gustative du cerveau, où l'information est traitée.

❸ LES RÉCEPTEURS OLFACTIFS

Des millions de récepteurs olfactifs (des odeurs) sont localisés sur la paroi supérieure de la cavité nasale. Leur extrémité (en rouge sur cette microphotographie), portant de 10 à 20 cils sensoriels, fait saillie dans la cavité nasale. Lorsque nous respirons par le nez, les molécules odorantes de l'air (arômes) se dissolvent dans le mucus qui recouvre les cils. Les arômes dissous se fixent sur les cils, ce qui provoque l'émission d'un signal vers le cerveau, où les odeurs sont identifiées. Les récepteurs olfactifs sont très sensibles et peuvent capter une vaste gamme de plus de 10 000 odeurs.

❹ COLLABORATION ACTIVE

Chaque fois que nous mangeons ou buvons, nos sens du goût et de l'odorat fonctionnent de concert. L'odorat étant bien plus sensible que le goût, il est le sens majeur de cette collaboration. La preuve : lorsque, comme l'homme sur cette photo, nous sommes atteints d'un gros rhume, l'épais mucus qui engorge la cavité nasale empêche l'odorat de fonctionner normalement. Du coup, les aliments nous semblent fades et sans saveur.

❺ L'AIRE GUSTATIVE

Notre perception du goût sucré, salé, acide, amer ou de l'umami – ou une combinaison de ceux-ci – s'effectue dans l'aire gustative du cerveau. C'est là que ce dernier traite les signaux issus des bourgeons gustatifs et identifie les goûts. Sur leur trajet vers l'aire gustative, ces signaux stimulent la production de salive et de sucs gastriques qui jouent un rôle majeur dans la digestion.

❻ LES NERFS GUSTATIFS ET OLFACTIFS

Cette vue en coupe de la tête montre les trajets suivis par les signaux provenant des récepteurs de l'odorat de la cavité nasale, ainsi que des bourgeons gustatifs de la langue. Les signaux olfactifs voyagent le long des nerfs olfactifs vers la partie antérieure du cerveau. Les signaux gustatifs sont véhiculés par les nerfs gustatifs issus de la langue en direction de l'aire gustative du cerveau.

❼ DES ODEURS D'ALARME

Notre odorat joue parfois le rôle de signal d'alarme pour nous avertir de l'imminence d'un danger. Le moindre effluve de fumée ou de gaz nous alerte d'un risque potentiel et déclenche des réactions au sein de l'organisme qui le préparent instantanément à affronter le danger ou à s'en éloigner. C'est d'ailleurs dans ce but que l'on ajoute au gaz naturel inodore une substance odorante. La présence d'odeurs irritantes peut également déclencher des réflexes défensifs comme l'éternuement.

❽ UN AVANT-GOÛT DU DANGER

Nous disposons d'un instinct de préservation qui nous pousse à rejeter une nourriture trop acide ou trop amère, notamment lorsque nous sommes enfants. C'est parce que l'âcreté ou l'amertume indiquent souvent un aliment pourri ou toxique. La détection de ces goûts au niveau de la bouche nous permet de recracher avant d'avoir avalé. Toutefois, nous apprenons à apprécier certains aliments amers, comme les olives ou le café, ainsi que des fruits acides comme le citron, riche en vitamines.

Le toucher

Une brise fraîche qui caresse la peau, la douceur de la fourrure du chat ou la douleur causée par une coupure sont quelques-unes des sensations physiques que nous pouvons éprouver grâce au sens du toucher. Son principal siège est la peau, qui est en elle-même un organe sensitif. On trouve, disséminés en son sein, d'innombrables récepteurs sensoriels dont les différents types réagissent à des natures différentes de stimuli. Une fois traités par le cerveau, les signaux issus de l'ensemble de ces récepteurs nous donnent une «image» tactile de notre environnement immédiat.

LES RÉCEPTEURS DU TOUCHER ▶

La majorité des récepteurs sensoriels du toucher sont localisés dans le derme, la couche inférieure et la plus épaisse de la peau. Quelques-uns sont aussi présents dans l'épiderme. La plupart sont des mécanorécepteurs : ils génèrent un signal lorsqu'ils sont physiquement déformés sous l'effet d'une pression, d'un étirement, d'un coup. Les mécanorécepteurs les plus petits, proches de la surface de la peau, détectent les touchers légers, tandis que les plus gros, plus profondément enfouis, enregistrent les pressions et les étirements. D'autres types de récepteurs perçoivent les changements de température. D'autres encore détectent des substances chimiques émises lorsque la peau est endommagée et envoient au cerveau des messages de douleur.

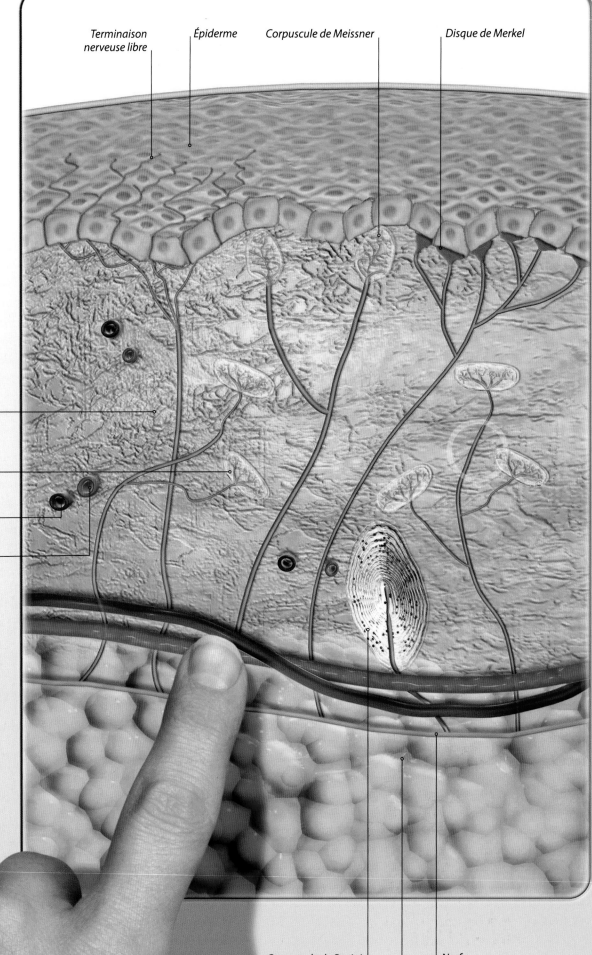

Terminaison nerveuse libre

Épiderme

Corpuscule de Meissner

Disque de Merkel

Derme

Corpuscule de Ruffini

Veine vue en coupe

Artère vue en coupe

Corpuscule de Pacini

Nerf

Graisse sous-cutanée

TERMINAISONS LIBRES ▶

Quand nous plongeons dans un bain chaud ou froid, nous ressentons le changement de température grâce à des terminaisons nerveuses libres présentes dans la peau. Celles-ci font fonction de thermorécepteurs, sensibles au froid et à la chaleur. D'autres terminaisons libres font office de nocicepteurs, capteurs de la douleur. Ces terminaisons nerveuses libres n'ont aucune capsule à leur extrémité et s'étendent jusque dans l'épiderme.

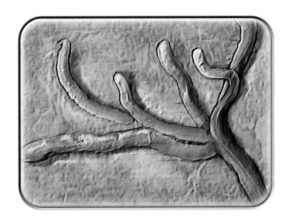

CORPUSCULES DE MEISSNER ▶

Situés à la jonction du derme et de l'épiderme, ces récepteurs ovoïdes sont des terminaisons nerveuses ramifiées, entourées d'une capsule. Les corpuscules de Meissner sont nombreux dans la peau sensible dépourvue de poils comme celle des doigts, des paumes, des plantes de pieds, des paupières, des lèvres et des mamelons. Ils sont sensibles au toucher léger et à la pression, et nous permettent de déterminer par simple contact la taille, la forme et la texture des objets.

DISQUES DE MERKEL ▶

Proches de la surface de la peau, les disques de Merkel sont constitués de terminaisons nerveuses ramifiées, associées à des cellules spécialisées en forme de disques appelées cellules de Merkel, situées à la base de l'épiderme. Ces organes détectent les pressions légères et le toucher. Dans la peau du bout des doigts, ils peuvent distinguer les textures comme celles du velours et du papier de verre.

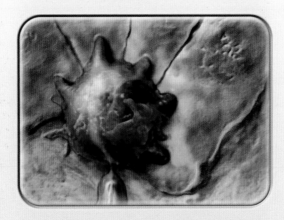

CORPUSCULES DE PACINI ▶

Situés en profondeur dans le derme, ces gros récepteurs ovoïdes détectent le début et la fin des pressions et des vibrations. Ils sont constitués par une terminaison nerveuse entourée de couches de cellules aplaties dont la structure, vue en coupe, évoque celle d'un oignon coupé. Une modification soudaine de pression sur la peau écrase le récepteur, stimulant sa terminaison nerveuse qui envoie un signal vers le cerveau.

CORPUSCULES DE RUFFINI ▶

Constitués par une terminaison nerveuse ramifiée entourée d'une capsule aplatie, les corpuscules de Ruffini détectent les pressions profondes continues et les étirements de la peau. Dans la main, ils perçoivent les glissements d'objets sur la peau, aidant les doigts à assurer leur prise. Ils sont semblables aux récepteurs qui, dans les tendons, perçoivent l'étirement des muscles.

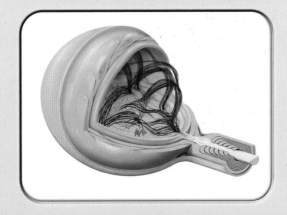

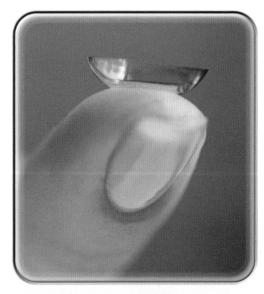

▲ DES EXTRÉMITÉS SENSIBLES

Les récepteurs sensoriels ne sont pas répartis de façon égale dans la peau. Le bout des doigts comporte beaucoup plus de capteurs de toucher, de pression et de vibrations que la plupart des autres parties du corps. C'est ce qui les rend extrêmement sensibles afin qu'ils puissent détecter le moindre contact et percevoir la texture des objets touchés, comme cette lentille de contact.

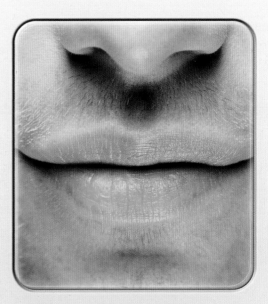

▲ DES LÈVRES RÉCEPTIVES

Nos lèvres sont très sensibles parce que, comme les doigts, elles renferment énormément de récepteurs du toucher. La partie du cerveau qui analyse les signaux provenant de ces récepteurs est appelée cortex sensoriel. Au sein même de ce cortex, les portions qui traitent les données issues des régions sensibles du corps sont beaucoup plus grandes que celles qui s'occupent des régions moins sensibles telles que le dos, les coudes ou les genoux.

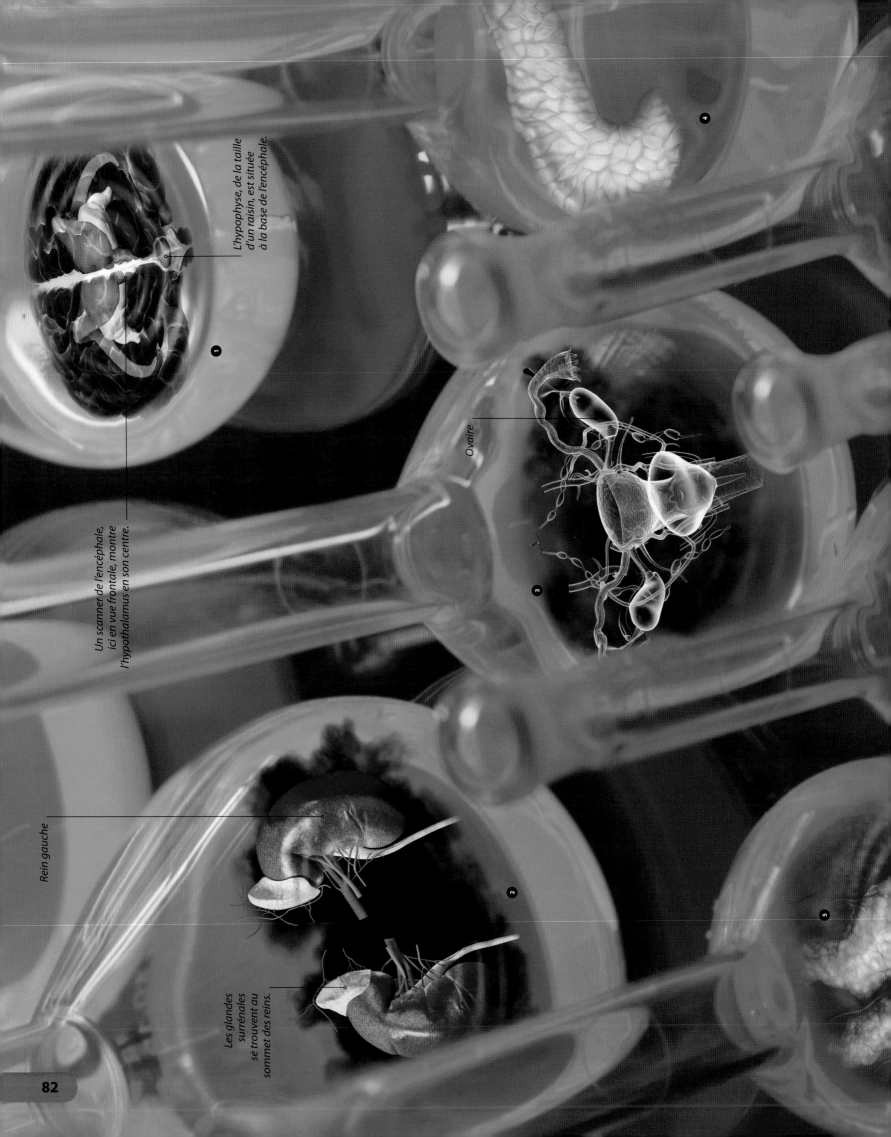

L'hypophyse, de la taille d'un raisin, est située à la base de l'encéphale.

Un scanner de l'encéphale, ici en vue frontale, montre l'hypothalamus en son centre.

Ovaire

Rein gauche

Les glandes surrénales se trouvent au sommet des reins.

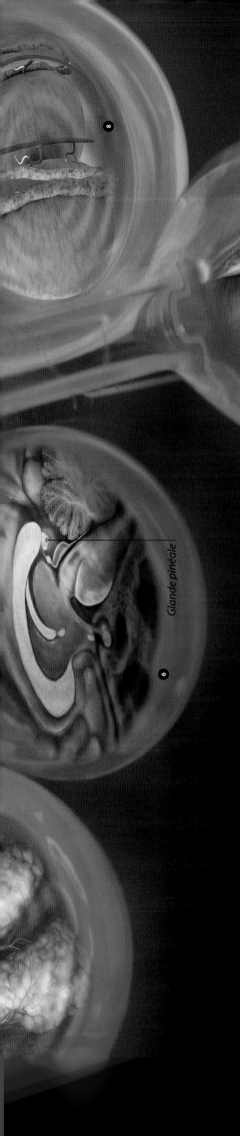

Les hormones

Deux systèmes contrôlent et coordonnent l'activité de l'organisme. Le système nerveux, à action immédiate, utilise des impulsions électriques. Le système endocrinien, ou hormonal, opère quant à lui de façon plus lente, avec des effets généralement plus durables sur les processus vitaux, notamment sur la croissance et la reproduction. Ce système est constitué d'une série de glandes qui libèrent dans le sang des messagers chimiques appelés hormones. Les hormones visent des cellules ou des tissus spécifiques dont elles modifient l'activité. Une fois leur travail effectué, elles sont détruites par le foie.

➊ L'hypophyse et l'hypothalamus

La glande hypophyse sécrète neuf hormones qui contribuent à réguler le métabolisme de base, a croissance et la reproduction. Nombre de ces hormones déclenchent l'activité d'autres glandes endocrines qui libèrent à leur tour leurs propres hormones. L'hypophyse est elle-même contrôlée par l'hypothalamus. Ce dernier produit des hormones qui stimulent l'activité hormonale de l'hypophyse. Constitué de cellules nerveuses, l'hypothalamus assure la liaison entre le système nerveux autonome et le système endocrinien.

➋ Les glandes surrénales

Ces glandes, au nombre de deux, sont constituées de deux parties. La partie externe libère plus de vingt hormones appelées corticostéroïdes. La partie interne agit en liaison avec le système nerveux autonome en sécrétant l'adrénaline. Cette hormone à action rapide prépare l'organisme à réagir aux situations de danger en augmentant les fréquences respiratoire et cardiaque.

➌ Les ovaires

Présents chez la femme, les ovaires produisent un ovule par mois ainsi que les hormones sexuelles femelles que sont les œstrogènes et la progestérone. Les œstrogènes maintiennent les caractères sexuels femelles tels que la forme du corps et les seins. Avec la progestérone, ils contrôlent le cycle menstruel, qui prépare chaque mois l'utérus à recevoir un œuf fécondé.

➍ Le pancréas

Outre le fait qu'il libère des enzymes digestifs dans l'intestin grêle, le pancréas produit deux hormones, l'insuline et le glucagon, qui maintiennent le glucose – source d'énergie de l'organisme – à un taux relativement constant dans le sang.

➎ Le thymus

Actif surtout au cours de l'enfance, période durant laquelle il est le plus développé, le thymus est situé sous le sternum. Il sécrète des hormones qui favorisent le développement et la mise en activité de cellules appelées lymphocytes T. Ces dernières jouent un rôle déterminant dans le système immunitaire qui défend l'organisme contre les maladies. À l'âge adulte, le thymus régresse graduellement.

➏ La glande pinéale

Située près du centre de l'encéphale, la glande pinéale sécrète la mélatonine, une hormone qui intervient dans le contrôle du sommeil et du réveil.

➐ La thyroïde et les parathyroïdes

Localisée dans la partie antérieure du cou, la glande thyroïde libère deux hormones : la thyroxine, qui déclenche une augmentation du métabolisme de base des cellules de l'organisme, et la calcitonine, qui inhibe la libération de calcium par les os. L'hormone PTH, libérée par les quatre minuscules glandes parathyroïdes, a un effet inverse de celui de la calcitonine.

➑ Les testicules

Présents chez l'homme, les deux testicules, outre le fait qu'ils produisent les spermatozoïdes, sécrètent l'hormone sexuelle mâle appelée testostérone. Celle-ci stimule la production des spermatozoïdes et maintient les caractères sexuels mâles, comme le développement musculaire, la voix grave et la pilosité du visage. La libération de la testostérone est placée sous le contrôle d'une hormone hypophysaire.

Glande pinéale

Glande thyroïde | *Glande parathyroïde*

Les situations d'urgence

Notre organisme est capable de faire face à toutes sortes de circonstances, y compris aux situations d'urgence. Lorsqu'il est confronté à une menace ou à un stress, un mécanisme entre en action pour le préparer à affronter le problème. Sous l'effet de l'hormone adrénaline, le système nerveux autonome active le cœur, les poumons, le foie et d'autres organes afin qu'ils fournissent plus d'oxygène et d'énergie au cerveau et aux muscles. Une fois la procédure lancée, le corps est en état ou bien d'affronter le danger, ou bien de s'en éloigner au plus vite.

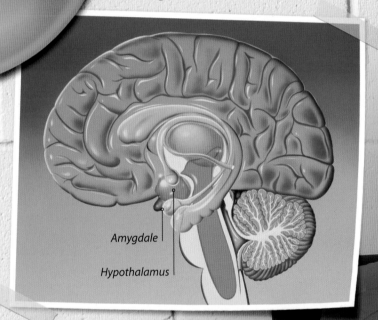

Amygdale

Hypothalamus

▲ LES SITUATIONS EFFRAYANTES

Les circonstances génératrices de peur, de stress ou d'excitation sont de natures très diverses : faire un tour de montagnes russes dans une foire, être poursuivi par un agresseur, être pris dans les embouteillages quand on est pressé en sont des exemples. Dans de telles situations, l'organisme mobilise ses ressources par l'intermédiaire du système nerveux autonome et de l'adrénaline afin de pouvoir faire face au danger, réel ou imaginaire, et de trouver le meilleur moyen d'y échapper.

◄ L'HYPOTHALAMUS

Chargé de la régulation de nombreuses activités de l'organisme, l'hypothalamus assure bon nombre de ses fonctions par l'entremise du système nerveux autonome. Lorsqu'il reçoit des signaux de peur issus de l'amygdale, il active une partie du système nerveux autonome appelée division sympathique, qui a pour effet de mettre l'organisme en alerte. L'hypothalamus envoie des influx le long des neurones moteurs sympathiques en direction de diverses parties de l'organisme, parmi lesquelles la glande surrénale.

▲ L'AMYGDALE

L'amygdale fait partie du système limbique, qui est le centre émotionnel de l'encéphale. Lorsque quelqu'un voit ou imagine quelque chose de menaçant ou d'effrayant, les signaux issus des yeux, des oreilles ou d'autres parties du cerveau sont immédiatement dirigés vers l'amygdale. Celle-ci alerte alors son voisin l'hypothalamus, une structure de petite taille dans l'encéphale mais d'une importance vitale.

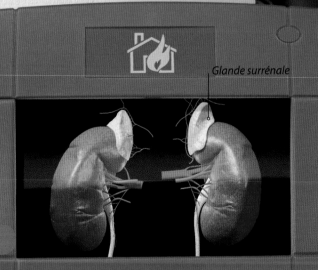

Glande surrénale

◄ LES GLANDES SURRÉNALES

Activées par des influx nerveux en provenance de l'hypothalamus, les glandes surrénales entrent en action au premier signe d'urgence. La partie centrale de chaque glande, dite médullosurrénale, déverse alors de l'adrénaline en quantité dans le sang. Cette hormone renforce les fonctions du système nerveux autonome en augmentant le rythme cardiaque, par exemple, ou bien la libération de glucose par le foie.

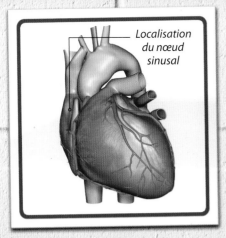

Localisation du nœud sinusal

◀ LE CŒUR

Lorsqu'on a peur, le cœur se met à battre plus fort. Le système nerveux autonome et l'adrénaline agissent sur diverses régions du cœur, notamment le nœud sinusal, pour augmenter la fréquence et la puissance de ses battements. Ainsi, une plus grande quantité de sang parvient aux muscles et à l'encéphale afin de leur fournir plus d'oxygène et d'énergie.

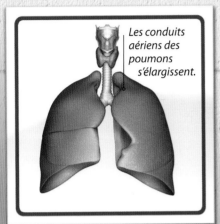

Les conduits aériens des poumons s'élargissent.

◀ LES POUMONS

Chaque poumon renferme un réseau très ramifié de conduits dans lesquels circule l'air. Les plus gros, appelés bronches, se divisent en bronchioles plus petites dont les plus fines amènent l'air dans les alvéoles pulmonaires, sortes de petits sacs au sein desquels l'oxygène passe dans le sang. Dans une situation d'urgence, de minuscules muscles enveloppant les bronchioles se relâchent. Cela a pour effet d'augmenter le diamètre des conduits qui apportent ainsi plus d'oxygène au sang.

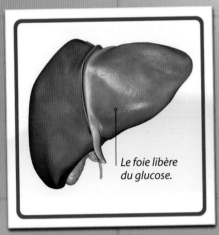

Le foie libère du glucose.

◀ LE FOIE

Parmi ses nombreuses fonctions, le foie compte celle de stocker le glucose. Ce sucre riche en énergie est conservé dans les cellules hépathiques sous la forme d'une molécule complexe d'hydrate de carbone appelée glycogène. En situation d'urgence, la demande en glucose augmente subitement. Le système nerveux autonome et l'adrénaline stimulent les cellules du foie pour qu'elles dégradent le glycogène en glucose et le libèrent dans le sang. Il est alors emporté là où il est le plus nécessaire, notamment vers les muscles et l'encéphale.

▼ LES PUPILLES ÉLARGIES

Lorsqu'on regarde les yeux d'une personne effrayée, les effets combinés du système nerveux autonome et de l'adrénaline apparaissent nettement. En provoquant la contraction des minuscules muscles de l'iris – la partie colorée de l'œil –, ils provoquent l'élargissement de la pupille. Cela permet à la lumière d'entrer dans l'œil en plus grande quantité, offrant une meilleure vision face au danger.

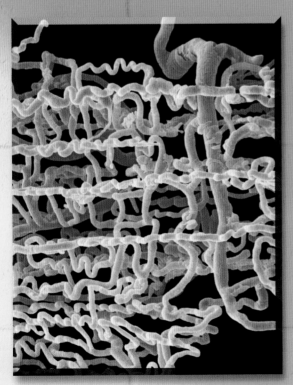

◀ LA MODIFICATION DU FLUX SANGUIN

En situation d'urgence, la digestion n'est plus une priorité. Les vaisseaux sanguins qui alimentent le système digestif deviennent plus étroits pour réduire l'apport de sang au tube digestif. Il en va de même dans la peau, ce qui explique pourquoi une personne effrayée devient pâle. Le volume de sang ainsi épargné est dirigé vers les muscles et l'encéphale afin d'augmenter leur efficacité. Dans les muscles, les vaisseaux sanguins se dilatent, accroissant fortement l'apport de sang aux cellules musculaires et leur délivrant d'autant plus d'énergie pour réagir au danger.

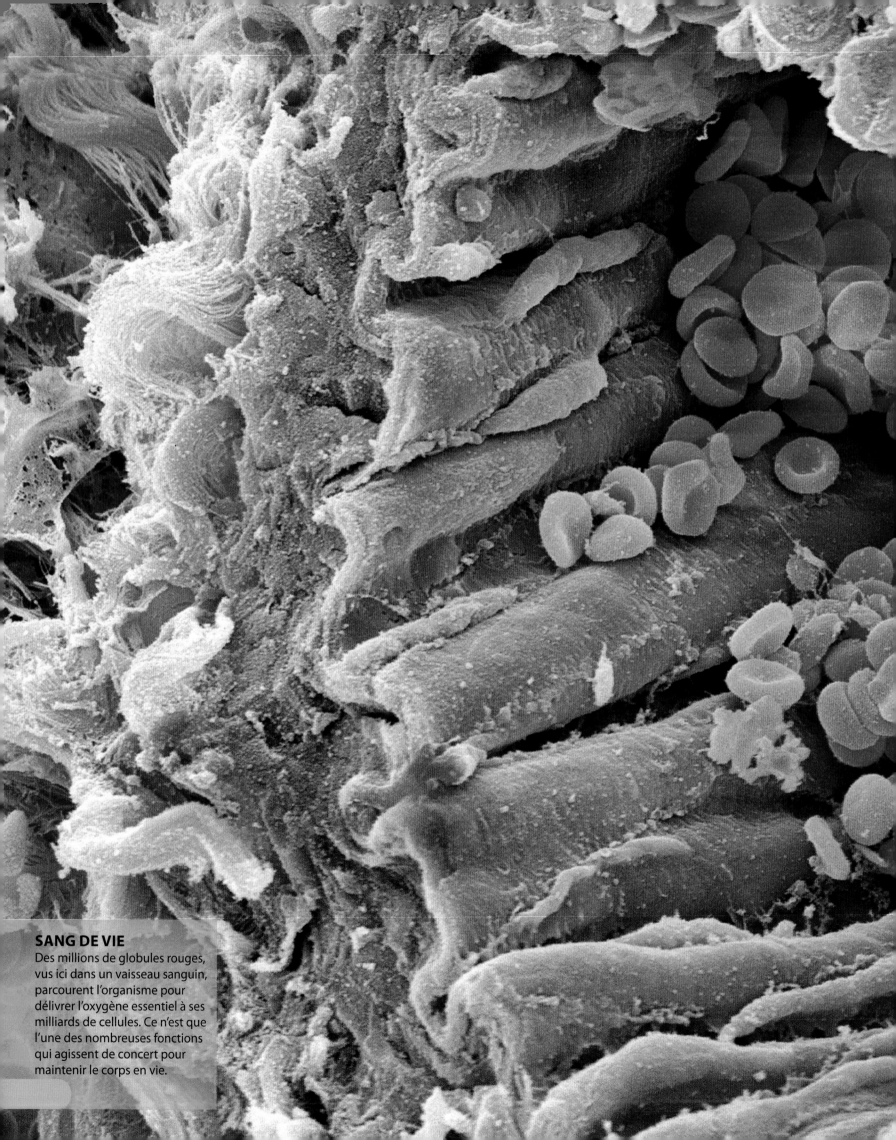

SANG DE VIE
Des millions de globules rouges, vus ici dans un vaisseau sanguin, parcourent l'organisme pour délivrer l'oxygène essentiel à ses milliards de cellules. Ce n'est que l'une des nombreuses fonctions qui agissent de concert pour maintenir le corps en vie.

Les fonctions vitales

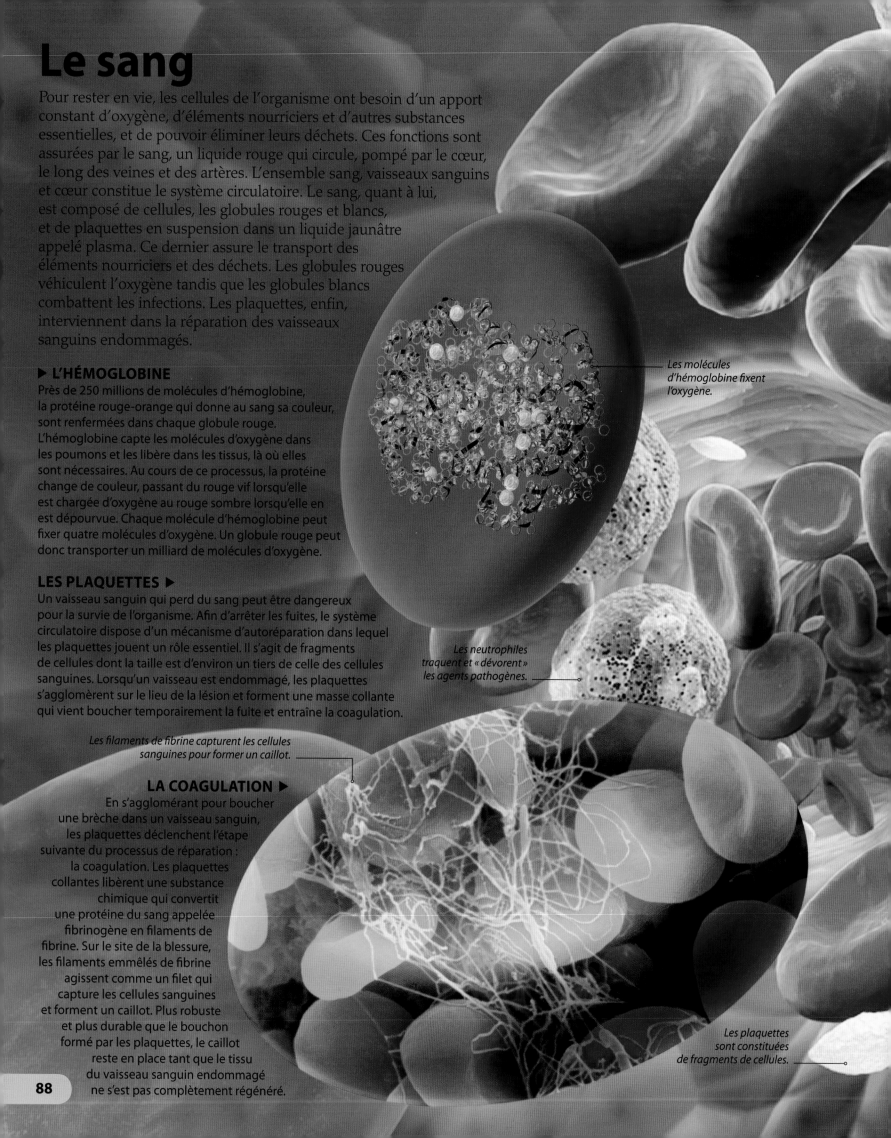

Le sang

Pour rester en vie, les cellules de l'organisme ont besoin d'un apport constant d'oxygène, d'éléments nourriciers et d'autres substances essentielles, et de pouvoir éliminer leurs déchets. Ces fonctions sont assurées par le sang, un liquide rouge qui circule, pompé par le cœur, le long des veines et des artères. L'ensemble sang, vaisseaux sanguins et cœur constitue le système circulatoire. Le sang, quant à lui, est composé de cellules, les globules rouges et blancs, et de plaquettes en suspension dans un liquide jaunâtre appelé plasma. Ce dernier assure le transport des éléments nourriciers et des déchets. Les globules rouges véhiculent l'oxygène tandis que les globules blancs combattent les infections. Les plaquettes, enfin, interviennent dans la réparation des vaisseaux sanguins endommagés.

▶ L'HÉMOGLOBINE

Près de 250 millions de molécules d'hémoglobine, la protéine rouge-orange qui donne au sang sa couleur, sont renfermées dans chaque globule rouge. L'hémoglobine capte les molécules d'oxygène dans les poumons et les libère dans les tissus, là où elles sont nécessaires. Au cours de ce processus, la protéine change de couleur, passant du rouge vif lorsqu'elle est chargée d'oxygène au rouge sombre lorsqu'elle en est dépourvue. Chaque molécule d'hémoglobine peut fixer quatre molécules d'oxygène. Un globule rouge peut donc transporter un milliard de molécules d'oxygène.

Les molécules d'hémoglobine fixent l'oxygène.

LES PLAQUETTES ▶

Un vaisseau sanguin qui perd du sang peut être dangereux pour la survie de l'organisme. Afin d'arrêter les fuites, le système circulatoire dispose d'un mécanisme d'autoréparation dans lequel les plaquettes jouent un rôle essentiel. Il s'agit de fragments de cellules dont la taille est d'environ un tiers de celle des cellules sanguines. Lorsqu'un vaisseau est endommagé, les plaquettes s'agglomèrent sur le lieu de la lésion et forment une masse collante qui vient boucher temporairement la fuite et entraîne la coagulation.

Les neutrophiles traquent et «dévorent» les agents pathogènes.

Les filaments de fibrine capturent les cellules sanguines pour former un caillot.

LA COAGULATION ▶

En s'agglomérant pour boucher une brèche dans un vaisseau sanguin, les plaquettes déclenchent l'étape suivante du processus de réparation : la coagulation. Les plaquettes collantes libèrent une substance chimique qui convertit une protéine du sang appelée fibrinogène en filaments de fibrine. Sur le site de la blessure, les filaments emmêlés de fibrine agissent comme un filet qui capture les cellules sanguines et forment un caillot. Plus robuste et plus durable que le bouchon formé par les plaquettes, le caillot reste en place tant que le tissu du vaisseau sanguin endommagé ne s'est pas complètement régénéré.

Les plaquettes sont constituées de fragments de cellules.

◄ LES GLOBULES ROUGES

Une petite goutte de sang renferme le nombre incroyable de 250 millions de globules rouges, ou hématies. Ces cellules ont la particularité de ne pas renfermer de noyau : elles sont remplies d'hémoglobine fixatrice de l'oxygène. Leur forme en disque creux est idéale pour capter et libérer efficacement l'oxygène. De petite taille et très souples, les globules rouges peuvent se comprimer pour passer dans les vaisseaux sanguins les plus fins pour aller fournir leur oxygène aux tissus. Usés au bout de 120 jours d'activité, ils meurent et sont recyclés.

▼ LES GLOBULES BLANCS

Bien que 700 fois moins nombreux que les globules rouges, les globules blancs, ou leucocytes, ont un rôle vital. Ils détruisent les bactéries et autres agents pathogènes (déclencheurs de maladies) qui envahissent parfois l'organisme. Il en existe plusieurs types différents, parmi lesquels les neutrophiles, les monocytes et les lymphocytes. Les globules blancs, contrairement aux rouges, peuvent traverser les parois des capillaires sanguins pour traquer leurs proies. Une fois hors des vaisseaux, les monocytes se transforment en voraces cellules dévoreuses appelées macrophages.

Les lymphocytes produisent les anticorps, des substances chimiques qui marquent les agents pathogènes en vue de leur destruction.

Les déchets dans les vaisseaux sanguins doivent être supprimés pour ne pas gêner la circulation.

Macrophage enveloppant un déchet et sur le point de le «dévorer».

❶ LE SYSTÈME CIRCULATOIRE

Ici sont reproduites les principales artères et veines du système circulatoire ; les capillaires qui les relient sont trop nombreux et microscopiques pour pouvoir être représentés. Dans ce système, le sang suit deux grandes boucles. Dans l'une, du sang pauvre en oxygène circule à l'intérieur des artères pulmonaires jusqu'aux poumons où il s'enrichit en oxygène, puis il revient vers le cœur par les veines pulmonaires. Dans l'autre boucle, le sang riche en oxygène emprunte les artères (carotides, fémorales, etc.) en direction des organes du corps puis, une fois son oxygène déchargé, il revient par les veines (jugulaires, tibiales et autres) vers le cœur.

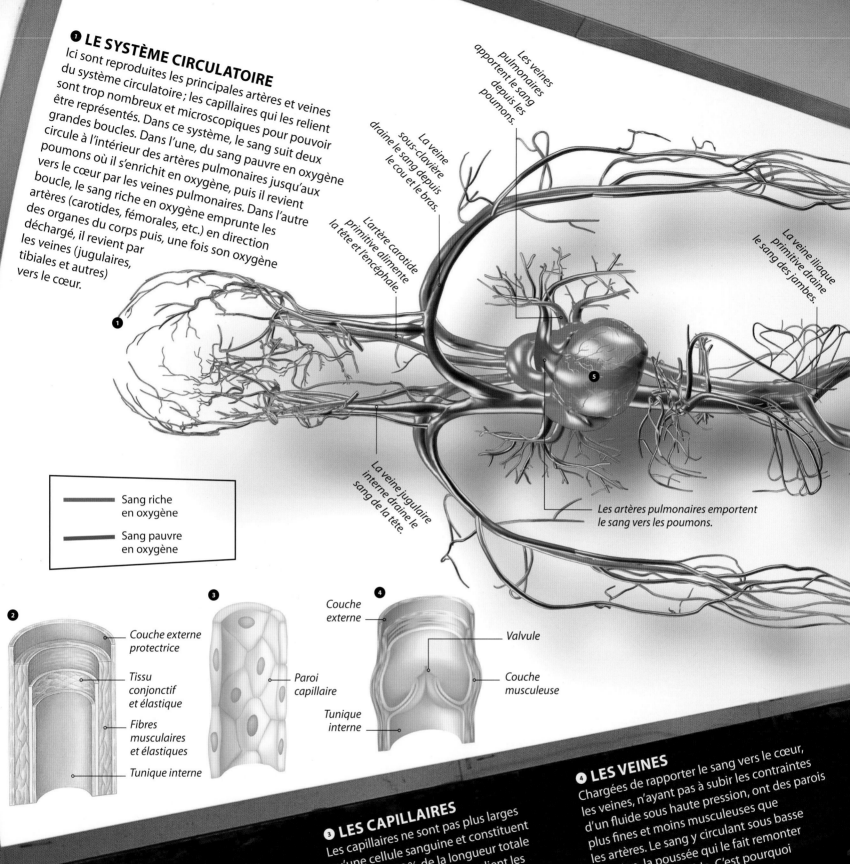

Les veines pulmonaires apportent le sang depuis les poumons.

La veine sous-clavière draine le sang depuis le cou et le bras.

L'artère carotide primitive alimente la tête et l'encéphale.

La veine iliaque primitive draine le sang des jambes.

La veine jugulaire interne draine le sang de la tête.

Les artères pulmonaires emportent le sang vers les poumons.

──── Sang riche en oxygène

──── Sang pauvre en oxygène

Couche externe protectrice

Tissu conjonctif et élastique

Fibres musculaires et élastiques

Tunique interne

Paroi capillaire

Couche externe

Valvule

Couche musculeuse

Tunique interne

❷ LES ARTÈRES

Cette vue en coupe d'une artère montre son épaisse paroi composée de couches musculeuses et élastiques. Les artères, en effet, véhiculent le sang venant du cœur. Elles subissent donc la forte pression appliquée par celui-ci et doivent pouvoir supporter de gonfler puis de revenir à leur diamètre initial à chaque battement. Le revêtement interne des artères, comme celui des veines, est lisse afin de réduire les frottements et permettre au sang de s'écouler librement.

❸ LES CAPILLAIRES

Les capillaires ne sont pas plus larges qu'une cellule sanguine et constituent néanmoins 98 % de la longueur totale du système circulatoire. Ils relient les artères aux veines, s'insinuant dans tous les tissus du corps pour irriguer les cellules au niveau individuel. Formées par l'épaisseur d'une seule cellule, leurs parois sont très poreuses, laissant librement passer l'oxygène et les éléments nourriciers dans les tissus.

❹ LES VEINES

Chargées de rapporter le sang vers le cœur, les veines, n'ayant pas à subir les contraintes d'un fluide sous haute pression, ont des parois plus fines et moins musculeuses que les artères. Le sang y circulant sous basse pression, la poussée qui le fait remonter vers le cœur est faible. C'est pourquoi de nombreuses veines présentent des valvules afin d'empêcher le sang de revenir en arrière.

Les artères digitales irriguent les doigts.

La veine fémorale draine le sang de la cuisse.

La veine tibiale postérieure draine le sang du pied et de la jambe.

L'artère fémorale alimente la cuisse.

L'artère tibiale postérieure irrigue la jambe et le pied.

Les veines digitales drainent le sang des doigts.

❺ LE CŒUR

Un système visant à faire circuler le sang à travers tout l'organisme n'aurait pu fonctionner sans un moyen de propulser le fluide à l'intérieur. Cette propulsion est fournie par le cœur. Il s'agit d'une pompe musculaire creuse composée de deux côtés qui agissent en tandem. L'un des côtés reçoit le sang pauvre en oxygène provenant des organes et l'envoie vers les poumons pour qu'il s'y recharge en oxygène. L'autre reçoit le sang riche en oxygène issu des poumons et l'envoie sous pression dans tout le corps par les artères.

La circulation sanguine

À chaque instant du jour et de la nuit, le sang circule dans tout l'organisme pour desservir les milliards de cellules qui dépendent de ses apports pour pouvoir vivre normalement. Cette circulation est assurée par le cœur et passe par un vaste réseau de conduits constitués par les vaisseaux sanguins. Ces derniers forment un ensemble si long qu'ils feraient deux fois le tour de la Terre si on les plaçait bout à bout. Il existe trois types de vaisseaux sanguins : les artères, les veines et les capillaires. Les artères emportent le sang depuis le cœur vers les organes, et vont en se ramifiant en vaisseaux de plus en plus petits qui se divisent à leur tour pour former les capillaires. Ces derniers, minuscules vaisseaux, apportent le sang à toutes les cellules du corps, avant de se rassembler pour former les veines, lesquelles ramènent le sang vers le cœur. L'ensemble cœur, vaisseaux sanguins et sang constitue le système circulatoire.

Le cœur

Centrale motrice du système circulatoire, de la taille d'un poing, le cœur est localisé dans le thorax entre les deux poumons. Il forme deux pompes accolées, l'une qui envoie le sang vers les poumons pour y prélever de l'oxygène, l'autre qui alimente en sang oxygéné tout le corps. Dans ses cavités, des valvules garantissent le flux du sang dans une seule direction. Ce sont elles qui, lorsqu'elles se ferment, produisent les bruits sourds que l'on peut entendre à l'aide d'un stéthoscope. Constitué du muscle cardiaque, qui ne se fatigue jamais, le cœur se contracte quelque 2,5 milliards de fois en moyenne au cours d'une vie sans faire de pause – sauf accident.

❶ LES CAVITÉS DU CŒUR

Le cœur est divisé par une paroi centrale en une moitié droite et une moitié gauche. Chaque moitié est constituée de deux chambres : une petite, en haut, appelée oreillette, et une grande aux parois épaisses appelée ventricule. La partie droite du cœur reçoit le sang pauvre en oxygène venant des organes et l'envoie dans les poumons pour qu'il s'y recharge en oxygène. La partie gauche reçoit le sang oxygéné provenant des poumons et l'envoie dans tout l'organisme.

❶ Oreillette droite · Oreillette gauche · Ventricule gauche · Ventricule droit

❷ LES PHASES DE LA CONTRACTION

Chaque contraction du cœur est une séquence d'événements liés, qui se déroule en trois étapes : la systole auriculaire, la systole ventriculaire et la diastole. Cette séquence est contrôlée par un régulateur de rythme naturel, le nœud sinusal, localisé dans la paroi de l'oreillette droite. Celui-ci génère des influx électriques qui provoquent d'abord la contraction de la paroi des oreillettes, immédiatement suivie par la contraction de la paroi des ventricules. Assistée par des valvules qui s'ouvrent et se ferment en temps utile pour éviter le reflux, ce processus garantit la circulation du sang dans un seul sens, dans les cavités cardiaques et hors du cœur.

❷ Pendant la systole auriculaire, les deux oreillettes se contractent simultanément pour envoyer le sang dans les ventricules, forçant l'ouverture des valvules entre oreillettes et ventricules dans les deux moitiés du cœur.

La contraction des ventricules, durant la systole ventriculaire, éjecte le sang hors du cœur, forçant la fermeture des valvules entre oreillettes et ventricules afin d'éviter le reflux du fluide sanguin.

Le muscle cardiaque se relâche durant la diastole, permettant au sang de remplir à nouveau les oreillettes. Les valvules à la sortie des ventricules se ferment pour empêcher le reflux.

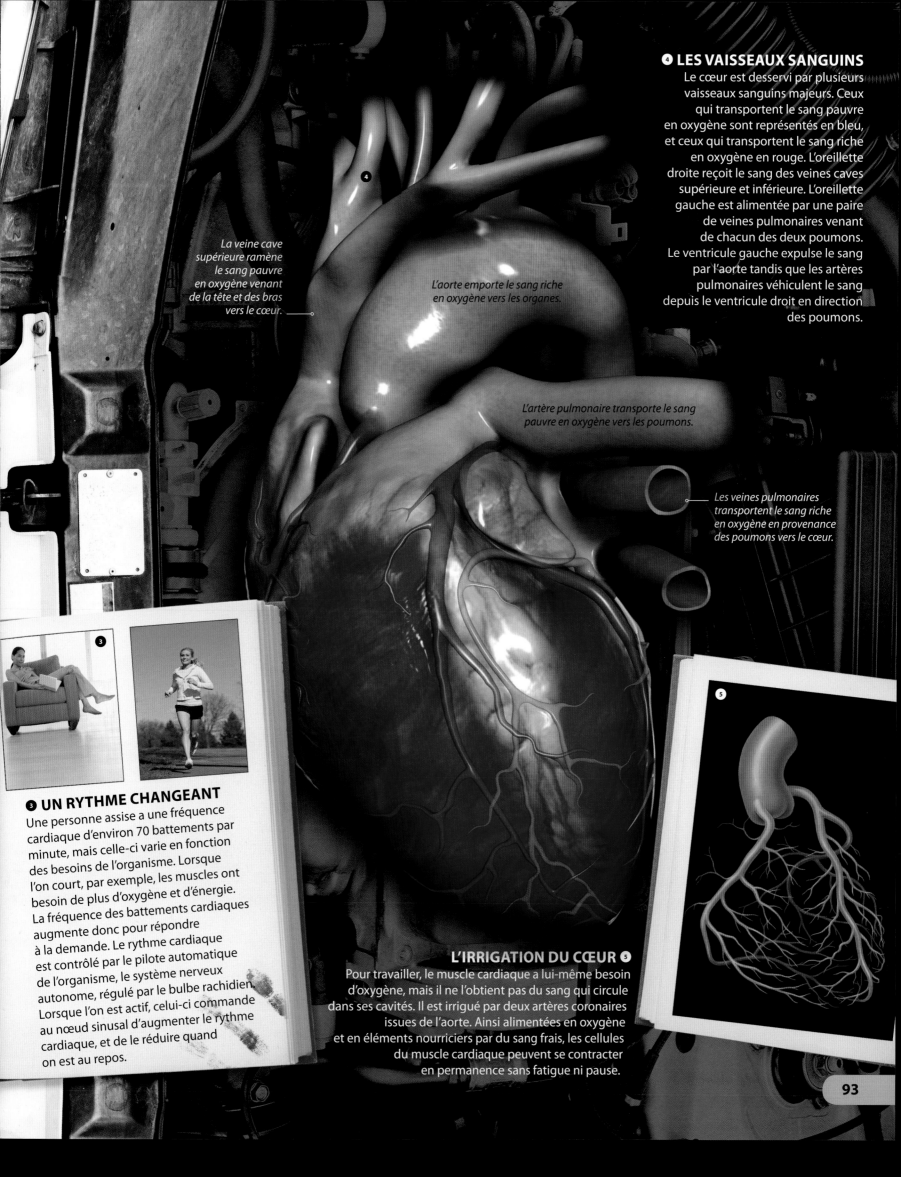

❹ LES VAISSEAUX SANGUINS

Le cœur est desservi par plusieurs vaisseaux sanguins majeurs. Ceux qui transportent le sang pauvre en oxygène sont représentés en bleu, et ceux qui transportent le sang riche en oxygène en rouge. L'oreillette droite reçoit le sang des veines caves supérieure et inférieure. L'oreillette gauche est alimentée par une paire de veines pulmonaires venant de chacun des deux poumons. Le ventricule gauche expulse le sang par l'aorte tandis que les artères pulmonaires véhiculent le sang depuis le ventricule droit en direction des poumons.

La veine cave supérieure ramène le sang pauvre en oxygène venant de la tête et des bras vers le cœur.

L'aorte emporte le sang riche en oxygène vers les organes.

L'artère pulmonaire transporte le sang pauvre en oxygène vers les poumons.

Les veines pulmonaires transportent le sang riche en oxygène en provenance des poumons vers le cœur.

❸ UN RYTHME CHANGEANT

Une personne assise a une fréquence cardiaque d'environ 70 battements par minute, mais celle-ci varie en fonction des besoins de l'organisme. Lorsque l'on court, par exemple, les muscles ont besoin de plus d'oxygène et d'énergie. La fréquence des battements cardiaques augmente donc pour répondre à la demande. Le rythme cardiaque est contrôlé par le pilote automatique de l'organisme, le système nerveux autonome, régulé par le bulbe rachidien. Lorsque l'on est actif, celui-ci commande au nœud sinusal d'augmenter le rythme cardiaque, et de le réduire quand on est au repos.

L'IRRIGATION DU CŒUR ❺

Pour travailler, le muscle cardiaque a lui-même besoin d'oxygène, mais il ne l'obtient pas du sang qui circule dans ses cavités. Il est irrigué par deux artères coronaires issues de l'aorte. Ainsi alimentées en oxygène et en éléments nourriciers par du sang frais, les cellules du muscle cardiaque peuvent se contracter en permanence sans fatigue ni pause.

Les poumons

Toute cellule de l'organisme nécessite un apport ininterrompu en oxygène afin de pouvoir dégrader les nutriments qui lui procurent de l'énergie. Sans cet élément, il n'y aurait pas de vie. L'oxygène est naturellement présent à l'état gazeux dans l'air qui nous environne, et c'est donc là que notre organisme le prélève. Lorsque nous inspirons, l'air pénètre par les voies respiratoires et vient s'amasser dans deux gros organes situés dans le thorax : les poumons. Ces derniers constituent une centrale d'échange à l'intérieur de laquelle les molécules d'oxygène présentes dans l'air inspiré sont transférées dans le sang. Ce dernier les emporte ensuite vers les milliards de cellules de l'organisme. Les poumons ainsi que les voies respiratoires qui les relient au milieu extérieur constituent le système respiratoire.

● LE SYSTÈME RESPIRATOIRE

Les deux narines, qui mènent à la cavité nasale, marquent l'entrée du système respiratoire. Restreint à la tête, au cou et au thorax, ce système est constitué par les deux poumons et par les voies respiratoires – la cavité nasale, la gorge, le larynx, la trachée et les bronches – dont le rôle est de conduire l'air inspiré et expiré vers les poumons et hors de ceux-ci. Les poumons sont des organes de couleur rose-rouge car ils sont fortement irrigués par le sang, et de texture spongieuse parce qu'ils sont remplis de minuscules conduits et de sacs aériens.

● LA CAVITÉ NASALE

Reliant les narines à la gorge, la cavité nasale est un lieu où l'air inspiré est traité pour le débarrasser des poussières qu'il contient en suspension et des agents pathogènes susceptibles d'irriter les poumons. Les poils situés dans les narines arrêtent les particules les plus grosses. L'air tournoie ensuite dans la cavité nasale, déposant poussières et germes dans le mucus visqueux qui tapisse ses parois. Le mucus contaminé est ensuite déplacé par des cils vers la gorge où il est avalé. Dans la cavité nasale, l'air inspiré est également réchauffé et humidifié pour le rendre moins agressif pour les poumons.

● LA TRACHÉE

Passant à la verticale derrière le sternum, la trachée véhicule l'air vers les poumons et en dehors de ceux-ci. À son extrémité inférieure, elle se ramifie pour former deux branches principales, les bronches souches, qui pénètrent chacune dans un poumon. Les parois de la trachée sont renforcées par des anneaux de cartilage en forme de C qui l'empêchent de s'écraser sur elle-même lorsque la pression de l'air baisse à l'intérieur, au moment où nous inspirons. La muqueuse interne qui la tapisse est, elle aussi, couverte d'un mucus visqueux qui capte poussières et germes pathogènes.

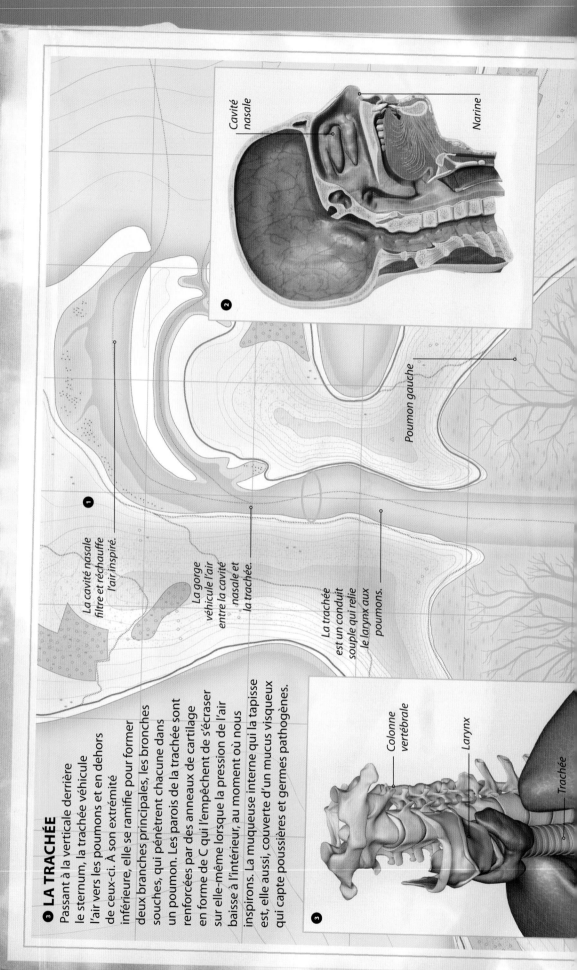

La cavité nasale filtre et réchauffe l'air inspiré.

La gorge véhicule l'air entre la cavité nasale et la trachée.

La trachée est un conduit souple qui relie le larynx aux poumons.

Cavité nasale

Narine

Poumon gauche

Colonne vertébrale

Larynx

Trachée

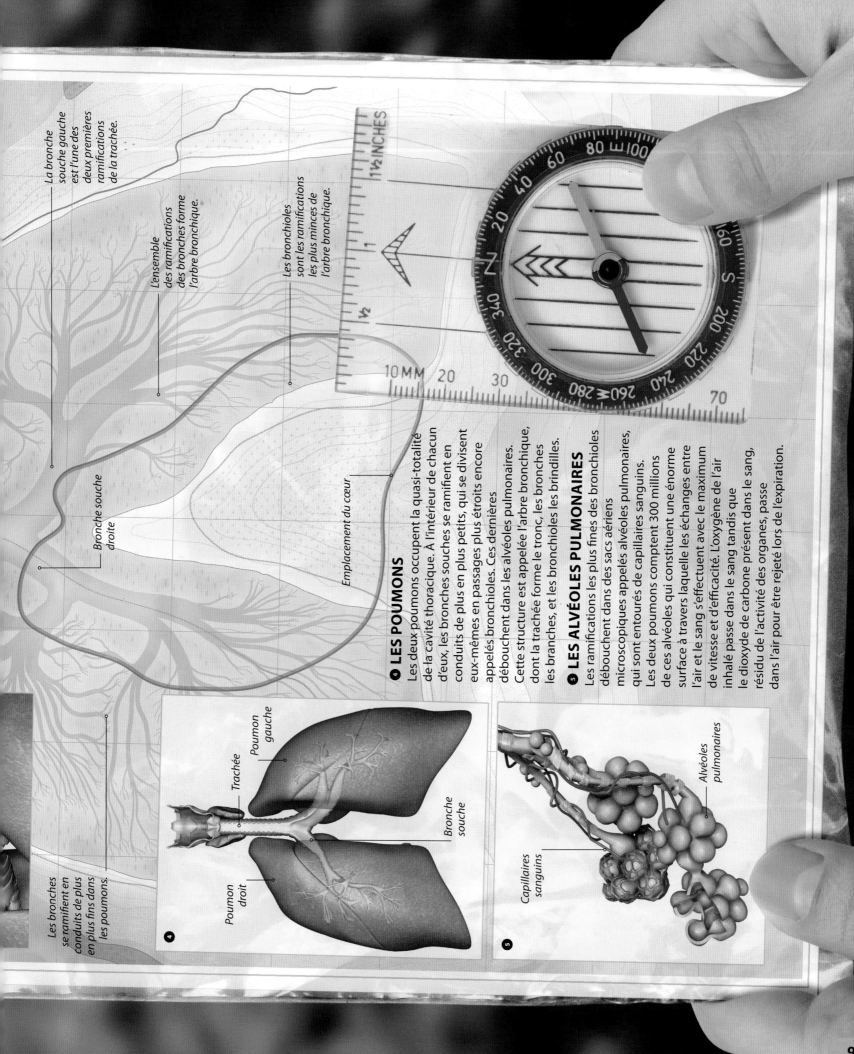

La bronche souche gauche est l'une des deux premières ramifications de la trachée.

L'ensemble des ramifications des bronches forme l'arbre bronchique.

Les bronchioles sont les ramifications les plus minces de l'arbre bronchique.

Bronche souche droite

Emplacement du cœur

Les bronches se ramifient en conduits de plus en plus fins dans les poumons.

● LES POUMONS

Les deux poumons occupent la quasi-totalité de la cavité thoracique. À l'intérieur de chacun d'eux, les bronches souches se ramifient en conduits de plus en plus petits, qui se divisent eux-mêmes en passages plus étroits encore appelés bronchioles. Ces dernières débouchent dans les alvéoles pulmonaires. Cette structure est appelée l'arbre bronchique, dont la trachée forme le tronc, les bronches les branches, et les bronchioles les brindilles.

● LES ALVÉOLES PULMONAIRES

Les ramifications les plus fines des bronchioles débouchent dans des sacs aériens microscopiques appelés alvéoles pulmonaires, qui sont entourés de capillaires sanguins. Les deux poumons comptent 300 millions de ces alvéoles qui constituent une énorme surface à travers laquelle les échanges entre l'air et le sang s'effectuent avec le maximum de vitesse et d'efficacité. L'oxygène de l'air inhalé passe dans le sang tandis que le dioxyde de carbone présent dans le sang, résidu de l'activité des organes, passe dans l'air pour être rejeté lors de l'expiration.

Poumon gauche

Trachée

Poumon droit

Bronche souche

❹

Capillaires sanguins

Alvéoles pulmonaires

❺

L'énergie

L'énergie est la capacité à produire du travail. Sans elle, les cellules ne pourraient entretenir les réactions chimiques qui nous maintiennent en vie. L'énergie est stockée dans des substances telles que les hydrates de carbone (aussi appelés glucides ou sucres) présentes dans les aliments. Celles-ci constituent un carburant qui est dégradé, à l'intérieur des cellules, par une réaction dite de « respiration aérobie ». Cette réaction utilise l'oxygène que nous respirons pour libérer l'énergie de la nourriture ingérée. L'énergie ainsi récupérée est donc utilisée pour faire fonctionner les cellules, mais également sous forme de chaleur pour maintenir notre température interne, et, dans les muscles, sous forme de mouvement pour faire bouger le corps.

❶ L'ALIMENTATION

C'est la nourriture qui nous apporte de l'énergie. Les principales sources sont les hydrates de carbone, ou glucides, parmi lesquels l'amidon, un glucide complexe. Pendant la digestion, l'amidon est dégradé en un glucide simple : le glucose. Ce dernier, qui constitue notre principal carburant, passe alors dans le sang. Il importe de manger des repas équilibrés comportant des aliments énergétiques en quantité suffisante. Si l'on absorbe plus d'énergie que l'on en a besoin, l'excès est stocké sous forme de graisse et l'on commence à grossir.

La bouche est le point de départ du processus de digestion de la nourriture et d'absorption d'énergie.

❷ LA RESPIRATION

Nous pouvons tenir plusieurs heures sans manger ou boire, mais nous ne pouvons arrêter de respirer. Il est certes possible de retenir plus ou moins sa respiration, mais le centre de contrôle respiratoire du bulbe rachidien, dans l'encéphale, finit toujours par relancer le mouvement. La respiration garantit un apport constant d'oxygène dans le sang et le rejet du dioxyde de carbone. Nos poumons ont évolué pour fonctionner dans l'air et sont incapables de prélever de l'oxygène dans l'eau. C'est pourquoi les plongeurs emportent avec eux une réserve d'air.

Les plongeurs doivent emporter de l'oxygène dans des bouteilles pour pouvoir respirer sous l'eau.

❸ LES ÉCHANGES GAZEUX

Dans les poumons, l'oxygène est transféré depuis l'air contenu par les alvéoles pulmonaires, au sang, en échange de dioxyde de carbone qui effectue le transfert inverse. Mais ces échanges gazeux se produisent aussi, comme on le voit ici, dans tous les tissus de l'organisme. Dans les microscopiques vaisseaux capillaires qui irriguent les tissus, l'oxygène quitte les globules rouges et traverse les capillaires pour pénétrer dans les cellules des tissus. Inversement, le dioxyde de carbone passe des cellules dans le plasma sanguin pour être évacué.

L'oxygène pénètre dans les cellules des tissus.

Les globules rouges du sang transportent l'oxygène.

Le dioxyde de carbone en rebut quitte les tissus.

Cellule des tissus

❹ DES BESOINS CHANGEANTS

Lorsque l'on fait de l'exercice, les muscles ont besoin de beaucoup plus d'énergie et d'oxygène que d'ordinaire. S'ils n'obtiennent pas cet oxygène en quantité suffisante, les muscles recourent à un autre type de respiration, dite « anaérobie », qui génère de l'énergie sans utiliser d'oxygène. Mais ce processus produit un déchet, l'acide lactique, qui doit ensuite être évacué. La quantité d'oxygène nécessaire pour cela est appelée la « dette d'oxygène », que la respiration accélérée de l'essoufflement après l'effort contribue à compenser.

❺ LES MITOCHONDRIES

Cette mitochondrie est un organite microscopique présent en nombre dans les cellules. Elle est le site de la libération de l'énergie. La dégradation des carburants, en particulier du glucose, débute dans le cytoplasme de la cellule. C'est toutefois au sein des mitochondries que les molécules de glucose sont démantelées, avec l'aide de l'oxygène, pour libérer leur énergie. Ce procédé est appelé respiration aérobie. L'énergie générée est transférée dans une molécule porteuse appelée adénosine triphosphate (ATP), qui la stocke et la restitue quand la cellule en a besoin.

❻ LES PRODUITS DE REBUT

Une molécule de glucose est composée de 6 atomes de carbone, 12 atomes d'hydrogène et 6 atomes d'oxygène. Pendant la respiration aérobie, les atomes de carbone et d'oxygène sont libérés sous la forme de dioxyde de carbone, qui passe dans le sang. Ce produit résiduel deviendrait toxique s'il s'accumulait dans l'organisme ; c'est pourquoi il est rejeté lors de l'expiration. Les atomes d'hydrogène sont combinés avec l'oxygène inspiré pour former de l'eau. L'eau en excès peut aussi être rejetée par expiration.

Haleter après un effort vigoureux permet de compenser la dette d'oxygène.

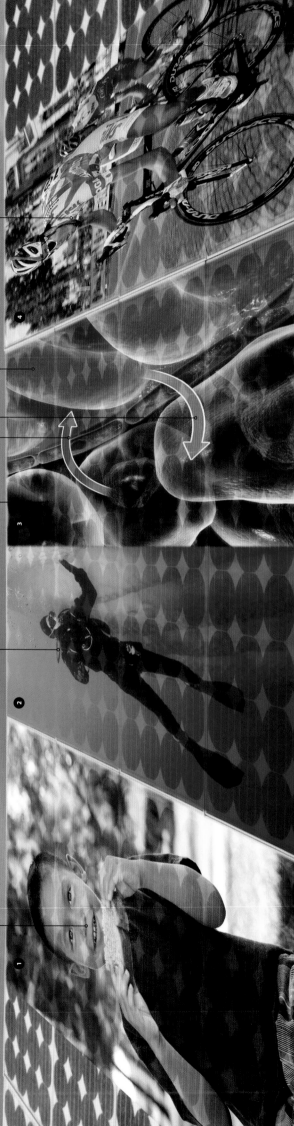

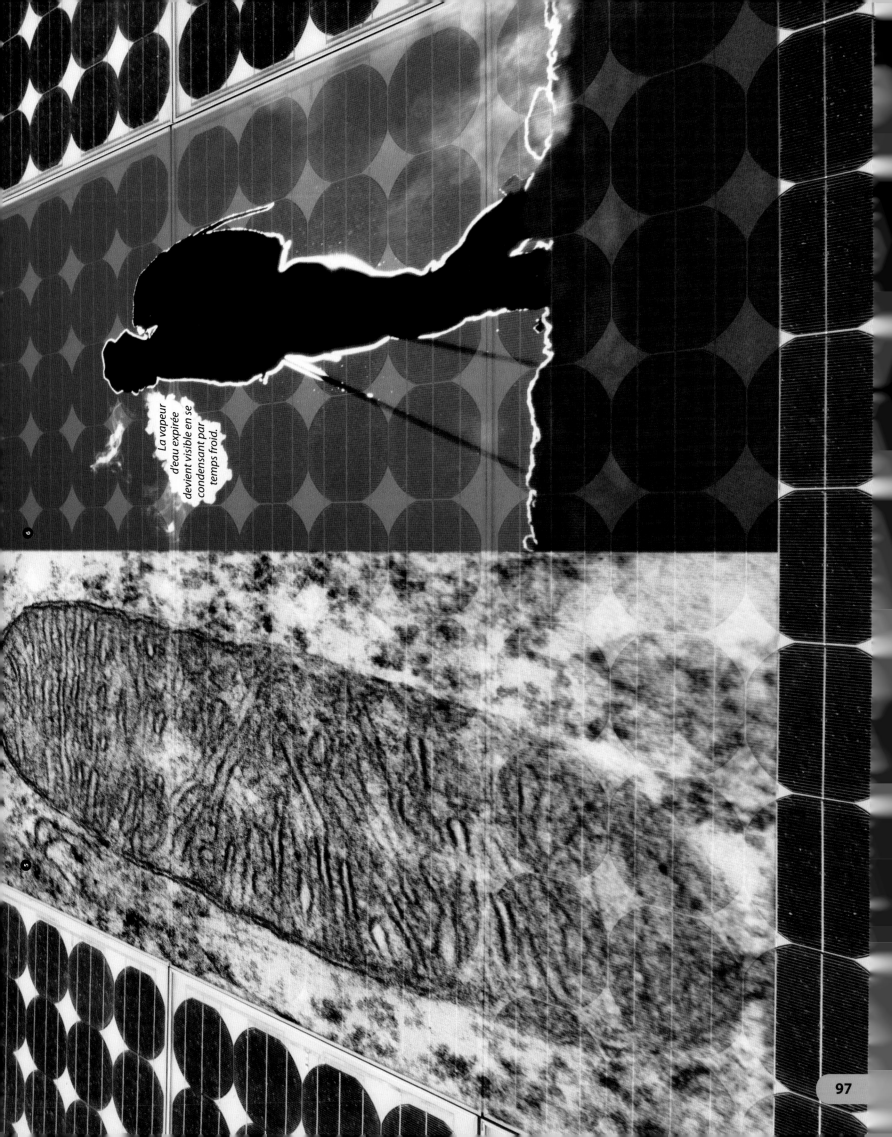

La vapeur d'eau expirée devient visible en se condensant par temps froid.

La respiration

L'oxygène passe constamment depuis les poumons dans le flux sanguin. Produit résiduel de l'activité cellulaire, le dioxyde de carbone circule, quant à lui, en sens inverse. Afin d'entretenir ce double flux vital, le mélange gazeux contenu par les poumons doit être régulièrement renouvelé par un apport d'air frais bien oxygéné tandis que l'air vicié chargé de dioxyde de carbone doit être évacué. C'est le but de la respiration. Les poumons ne pouvant se dilater et se contracter par eux-mêmes, les mouvements respiratoires sont rendus possibles grâce à l'action du diaphragme et des muscles intercostaux. Par leur intervention, ils permettent aux poumons d'agir comme des soufflets pour inspirer et expirer l'air.

L'INSPIRATION ▶

Durant l'inspiration, ou inhalation, le diaphragme, qui est une couche musculaire en forme de dôme située sous les poumons, se contracte, s'aplatit et s'étire vers le bas. En même temps, les muscles intercostaux externes, qui relient les côtes entre elles, se contractent et tirent les côtes vers l'extérieur, vers les côtés et vers le haut. Cette action combinée a pour effet d'augmenter le volume de la cage thoracique. Les poumons élastiques suivent le mouvement, se dilatant et aspirant l'air extérieur à travers le conduit de la trachée.

Les muscles du cou tirent la clavicule vers le haut pour augmenter le volume de la poitrine.

Les muscles de la poitrine contribuent à soulever les côtes.

Les muscles intercostaux externes soulèvent les côtes vers le haut et les côtés.

Les poumons rétrécissent à mesure que le volume de la poitrine décroît.

Le diaphragme s'étire vers le bas, les côtes vers l'extérieur et les poumons se gonflent d'air.

Le diaphragme se relâche et revient dans sa position initiale en forme de dôme vers le haut.

Les muscles intercostaux internes ramènent les côtes vers l'intérieur durant l'expiration.

Le diaphragme se contracte, s'aplatit et étire les poumons vers le bas.

Les muscles intercostaux externes se relâchent, permettant aux côtes de revenir vers l'intérieur dans leur position initiale.

◀ L'EXPIRATION

L'expiration est généralement un mouvement plus passif que l'inspiration. Le diaphragme se relâche et remonte, les muscles intercostaux externes se relâchent également, permettant aux côtes de revenir dans leur position initiale vers l'intérieur et vers le bas. Ces mouvements font décroître le volume de la cage thoracique. Sous la pression, les poumons rétrécissent et l'air qu'ils contiennent est expulsé par la trachée. Lorsque l'on pratique une activité physique, les muscles intercostaux internes se contractent également pour comprimer plus encore la cage thoracique et forcer plus efficacement l'air résiduel à s'échapper des poumons.

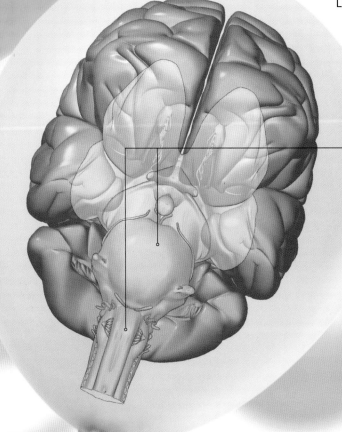

◄ LE CONTRÔLE DE LA RESPIRATION

La respiration est placée sous le contrôle du centre respiratoire situé dans le bulbe rachidien, à la base de l'encéphale. Celui-ci est tenu constamment informé par des signaux issus de récepteurs qui détectent le niveau de dioxyde de carbone et d'oxygène dans le sang, l'état d'étirement des muscles et des tendons et la quantité de travail qu'ils fournissent. Le centre de contrôle émet alors des influx en direction du diaphragme et des muscles intercostaux afin d'adapter l'amplitude et la vitesse des mouvements respiratoires au niveau d'activité de l'organisme.

Bulbe rachidien

LA FRÉQUENCE RESPIRATOIRE ►

Dans des conditions d'activité ordinaires, nous inspirons et expirons entre 12 et 15 fois par minute. Mais dès que notre niveau d'activité physique augmente, nos muscles squelettiques travaillent plus fort, nécessitant plus d'oxygène pour libérer l'énergie dont ils ont besoin pour se contracter. Dans le même temps, ils rejettent plus de dioxyde de carbone dans le sang. La fréquence et l'amplitude des mouvements respiratoires augmentent alors automatiquement pour répondre à ces besoins accrus.

TOUX ET ÉTERNUEMENTS ►

Il se produit parfois des mouvements respiratoires réflexes comme la toux et les éternuements. Tous deux ont pour but d'expulser la poussière, le mucus en excès ou tout autre élément irritant ou obstruant les voies respiratoires supérieures. Pour tousser, on commence par prendre une profonde inspiration, puis les cordes vocales sont fermées afin d'accumuler de la pression dans les poumons. Lorsqu'elles sont rouvertes, le volume d'air sous pression jaillit subitement, entraînant les impuretés hors de la trachée et de la gorge. L'éternuement est un phénomène similaire, l'air jaillissant cette fois par le nez au lieu de la bouche.

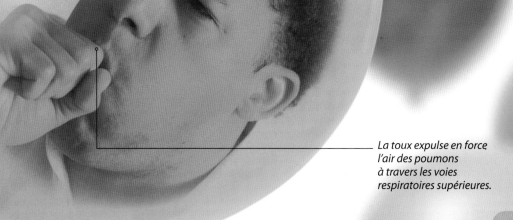

La toux expulse en force l'air des poumons à travers les voies respiratoires supérieures.

❶ *Le larynx, au sommet de la trachée, abrite les cordes vocales.*

La parole

Seuls les humains ont la capacité de communiquer entre eux au moyen d'un langage articulé qui leur permet d'exprimer des pensées, des instructions, des émotions et quantités d'autres choses. Capables d'émettre seulement des sons simples à l'âge du nourrisson, nous apprenons peu à peu à prononcer des mots puis à les associer pour former des phrases. Parler est une opération extrêmement complexe qui est placée sous le contrôle de l'encéphale. Elle met également en jeu le système respiratoire qui intervient pour créer un flux d'air passant à travers le larynx, les cordes vocales et la bouche.

❶ LE LARYNX

Le larynx relie la gorge à la trachée. Il forme une sorte de boîte composée de plusieurs plaques de cartilage, dont l'une, qui forme la «pomme d'Adam», est directement palpable au niveau du cou. Ces cartilages sont maintenus en place par des ligaments et des muscles, dont certains jouent un rôle dans la production de la voix. C'est dans le larynx que se situent les cordes vocales, tendues entre sa paroi antérieure et sa paroi postérieure.

❷ LES CORDES VOCALES

Cette photographie prise à l'aide d'un endoscope présente une vue de dessus du larynx. On y voit nettement les cordes vocales, ligaments constitués essentiellement de fibres élastiques et couverts par des membranes. Durant la respiration normale, elles sont au repos, écartées en forme de V, et n'émettent aucun son. L'ouverture entre les cordes vocales, appelée la glotte, permet le passage de l'air dans les deux sens entre les poumons et l'extérieur, le long de la trachée. L'entrée de cette dernière est visible ici, plongeant vers le bas sous le larynx.

❷ *Les cordes vocales sont ouvertes en V durant la respiration normale.*

❸

❸ L'AIRE DE BROCA

La production de la voix est contrôlée par l'aire de Broca, située dans le cortex cérébral gauche. Cette image montre sa localisation (en rouge). Lorsque l'on prend la parole, l'aire de Broca émet des signaux en direction des zones motrices adjacentes du cortex. Ces zones contrôlent les muscles qui modifient la respiration et l'écartement des cordes vocales afin de produire des sons, ainsi que les muscles des lèvres et de la langue, qui les modulent en langage articulé.

❹ LES CORDES VOCALES EN VIBRATION

Contrôlés par le cerveau, les muscles du larynx tirent sur les cordes vocales pour augmenter leur tension et fermer plus ou moins la glotte. Puis l'air est expulsé des poumons de manière contrôlée ; le flux qu'il génère entre les cordes vocales tendues les fait entrer en vibration. Ces vibrations produisent des sons indistincts qui doivent encore être traités pour les transformer en parole. Lorsque l'on chante ou que l'on parle longuement, les muscles du larynx se relâchent périodiquement pour ouvrir la glotte afin de pouvoir respirer.

❺ LA FORMATION DE LA PAROLE

Les sonorités de base émises par les cordes vocales en vibration sont ensuite améliorées pour produire des mots intelligibles pour tous. La gorge, ou pharynx, agit un peu comme un tuyau d'orgue pour amplifier les sons tandis que la bouche et la cavité nasale leur donnent plus de résonance. En dernier lieu intervient l'articulation : les muscles qui contrôlent la langue, les joues et les lèvres modèlent les sons en successions de syllabes reconnaissables.

Les femmes ont la voix plus aiguë que les hommes.

Les cordes vocales sont fermées pour produire des sons.

❻ VOIX GRAVES, VOIES AIGUËS

Plus la tension des cordes vocales est grande, plus elles se rapprochent l'une de l'autre ; plus elles vibrent vite, plus les sonorités produites sont aiguës. Les cordes vocales des hommes sont plus épaisses et plus longues que celles des femmes. De ce fait, elles vibrent plus lentement et produisent généralement des voix plus graves. La puissance de la voix dépend quant à elle de la force avec laquelle l'air passe entre les cordes vocales : un filet d'air suffit pour un murmure tandis qu'il faut une expulsion en force pour produire un cri.

L'alimentation

Nous mangeons pour obtenir les éléments nourriciers qui nous fournissent l'énergie et les matières premières dont notre organisme a besoin pour s'entretenir. Certains nutriments nous sont nécessaires en plus grandes quantités que d'autres, tels les hydrates de carbone (glucides) et les graisses (lipides) pour l'énergie, ainsi que les protéines pour la constitution des tissus. Les vitamines et les minéraux, quant à eux, ne sont requis qu'en quantités beaucoup plus faibles, mais sont néanmoins essentiels. Pour assurer un apport convenable de l'ensemble de ces éléments, un régime alimentaire doit être varié et équilibré, comme sur ce plateau.

❶ LES FRUITS ET LÉGUMES

Les pommes, oranges, bananes et autres fruits contiennent de l'eau et des vitamines ainsi que des sucres simples qui procurent de rapides apports d'énergie. Ils fournissent aussi des fibres non digestibles mais qui contribuent au bon fonctionnement de nos intestins. Les légumes – poivrons, haricots, choux, etc. – sont riches en vitamines et en minéraux et renferment également des fibres. Vivement colorés, les aliments végétaux apportent aussi des antioxidants qui protègent l'organisme contre les maladies cardiaques, les cancers et d'autres troubles. C'est pourquoi il est recommandé de consommer au mois cinq portions de fruits et légumes par jour.

❷ LES GLUCIDES LENTS

Des aliments comme le riz, les pommes de terre et les pâtes sont riches en amidon. Cet hydrate de carbone (ou glucide) complexe est composé de chaînes de molécules d'un sucre simple, le glucose. Au cours de la digestion, les molécules d'amidon sont progressivement brisées jusqu'à ne plus former que des molécules de glucose, qui sont la principale source d'énergie de l'organisme. Ces dernières sont absorbées par le sang qui les transporte jusqu'aux cellules. Les aliments riches en amidon apportent également des fibres ainsi que du fer, du calcium et certaines vitamines B.

❸ L'EAU

Ce liquide transparent ne nous apporte aucun élément nourricier. Il est pourtant indispensable à la vie. L'eau représente en effet plus de 50 % du poids du corps. C'est grâce à elle que le sang est fluide et elle constitue une grande part du cytoplasme des cellules, cette matière gélatineuse dans laquelle se produisent les réactions chimiques qui maintiennent l'organisme en vie. Il n'y a pas que les boissons qui nous apportent de l'eau. Pratiquement tous les aliments en contiennent, même les plus secs.

Les carottes sont riches en vitamine A.

Le pain renferme beaucoup d'amidon riche en énergie.

L'organisme perd constamment de l'eau qui doit être remplacée.

Le poisson, comme la viande, est plein de protéines.

Les sucreries sont faites à partir de sucre raffiné.

Le fromage est une excellente source de calcium.

❹ POISSONS, VIANDES ET ŒUFS

La viande, le poisson, les crustacés et les œufs sont tous de très bonnes sources de protéines, de même que les noix et le tofu, pour les végétariens. On recommande toutefois de consommer la viande rouge avec modération parce qu'elle contient des graisses saturées qui, absorbées en trop grande quantité, sont mauvaises pour la santé. À l'inverse, les poissons gras, comme le saumon, sont riches en omégas-3, des acides gras insaturés bénéfiques pour la santé. Au cours de la digestion, les protéines sont brisées en acides aminés que l'organisme utilise pour fabriquer ses propres protéines.

❺ GRAISSES ET SUCRERIES

Elles constituent souvent les éléments les plus attrayants du plateau-repas, mais il est fortement conseillé de ne les consommer que de manière occasionnelle et en petite quantité. Elles sont en effet chargées de composants très énergétiques. Si l'on en consomme trop et trop souvent, elles constituent un apport d'énergie en excès. Celle-ci est alors stockée sous forme de graisse et l'on se met à grossir.

❻ LES PRODUITS LAITIERS

Produits par les vaches, les buffles, les chèvres et les moutons, le lait et les produits qui en sont dérivés, tels les fromages, le beurre et le yaourt, sont des sources riches en calcium. Ce minéral est essentiel pour garantir aux os et aux dents une structure saine, et pour le bon déroulement de diverses fonctions, telle que la contraction musculaire. Les produits laitiers apportent aussi un peu de protéines, mais ils présentent surtout une forte concentration en graisses saturées, notamment le beurre et certains fromages, et doivent donc être consommés avec modération. Dans certaines parties du monde, en particulier l'Afrique et l'Asie, beaucoup de gens ne tolèrent pas les produits laitiers et ne peuvent les consommer.

La bouche

Certains animaux, comme les serpents, sont capables d'ouvrir leur bouche démesurément pour avaler leurs proies en un seul morceau. Ce n'est pas notre cas. Notre bouche, première partie du tube digestif, est faite pour préparer la nourriture à la déglutition. Les dents découpent d'abord les aliments puis les mastiquent pour les réduire en une bouillie de petites particules. Elles sont assistées par les glandes salivaires qui humectent les aliments de salive afin de faciliter l'opération, et par la langue musculeuse qui malaxe et mélange les particules mastiquées. Désormais prêts pour l'étape suivante de la digestion, les aliments sont avalés et transférés dans l'estomac.

LES TYPES DE DENTS

Nous avons deux séries de dents au cours de notre vie. La première, constituée de 20 dents de lait, est remplacée peu à peu pendant l'enfance par une seconde série de 32 dents permanentes dont il existe quatre types. On trouve, en partant de l'avant, huit incisives en forme de ciseau qui découpent les aliments, quatre canines pointues qui les déchirent, huit prémolaires et douze molaires à large couronne, qui les broient.

STRUCTURE DES DENTS

La surface de travail que forme la couronne blanche des dents est constituée d'émail, le matériau le plus dur produit par l'organisme. Elle repose sur une armature de dentine, un tissu dur calcifié qui plonge dans la gencive pour former la racine. Celle-ci est fermement ancrée dans une alvéole de l'os de la mâchoire, autour de laquelle la gencive forme un joint empêchant le passage des bactéries. Une cavité pulpaire centrale renferme des vaisseaux sanguins et des nerfs.

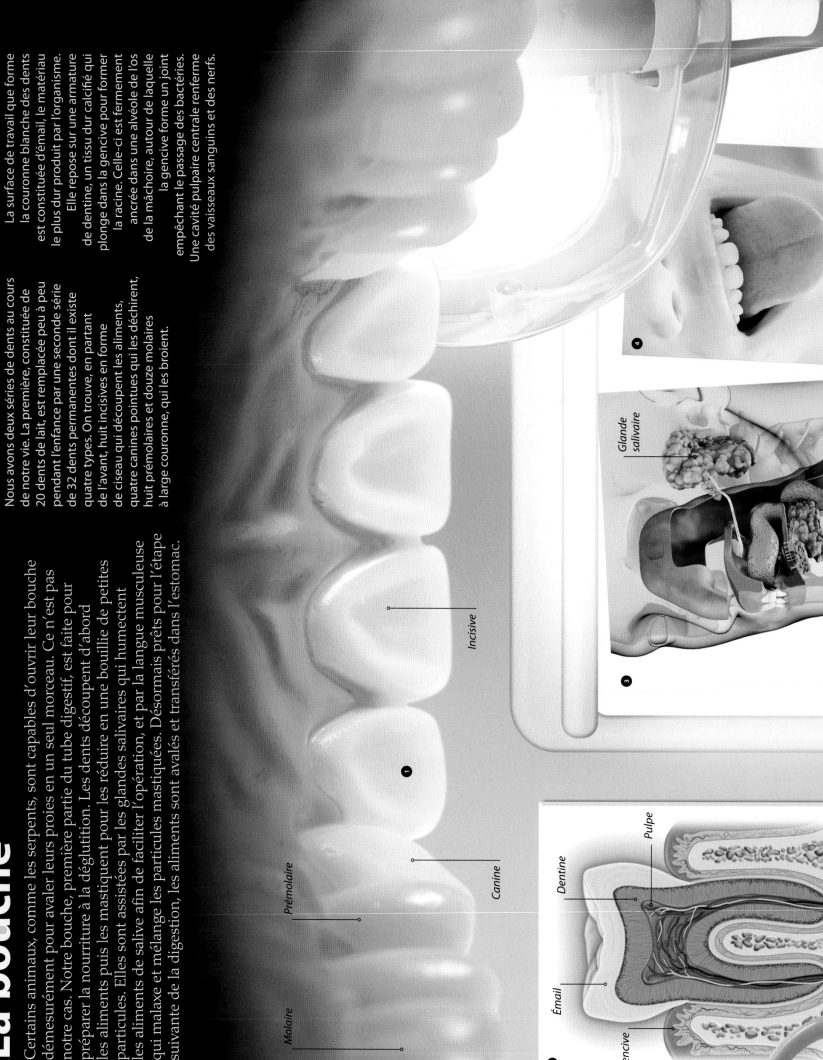

Prémolaire

Molaire

Canine

Incisive

1

Émail

Dentine

Pulpe

Gencive

2

Glande salivaire

3

4

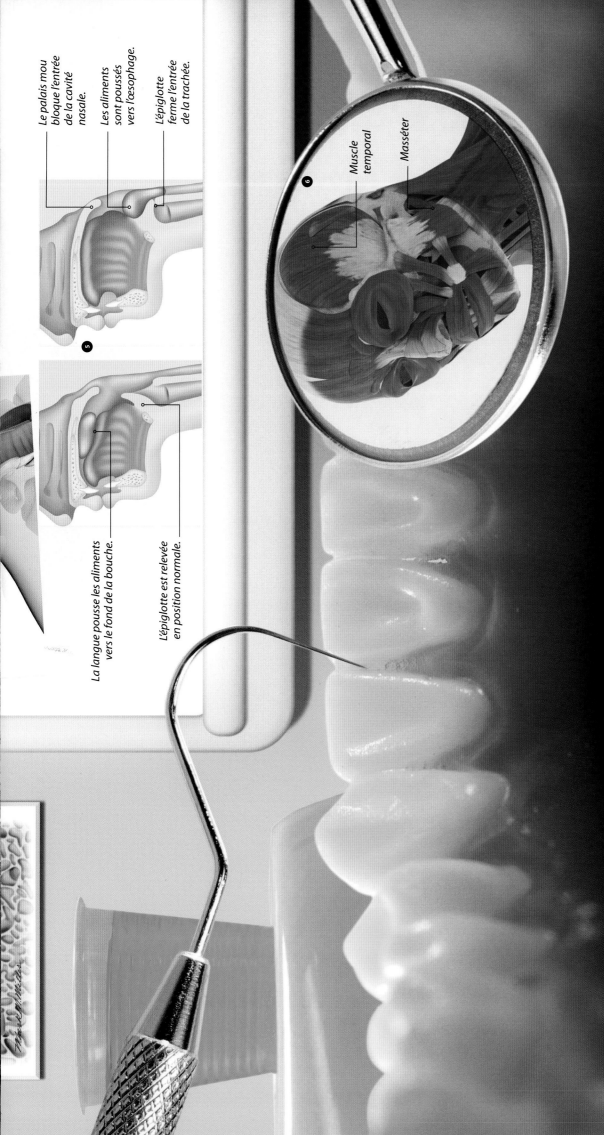

Le palais mou bloque l'entrée de la cavité nasale.

Les aliments sont poussés vers l'œsophage.

L'épiglotte ferme l'entrée de la trachée.

La langue pousse les aliments vers le fond de la bouche.

L'épiglotte est relevée en position normale.

Muscle temporal

Masséter

❸ LES GLANDES SALIVAIRES

Trois paires de glandes salivaires sécrètent en permanence de la salive dans la bouche, contribuant à la maintenir humide et propre. Lorsque nous avons faim, la vue, l'odeur ou la pensée de la nourriture provoquent l'augmentation de la production de salive afin de préparer la mastication. Essentiellement constituée d'eau, la salive renferme également une enzyme qui entame la digestion de l'amidon ainsi qu'un mucus visqueux qui agglomère les particules alimentaires et les lubrifie pour faciliter la déglutition.

❹ LA LANGUE

La langue présente une surface râpeuse qui adhère aux aliments et les replace continuellement dans la bonne position entre les dents pour permettre la mastication. Grâce à une coordination efficace du système nerveux central, elle agit ainsi sans risquer d'être mordue. La langue mélange également les aliments avec la salive et les modèle en une masse compacte prête à être avalée. Par ailleurs, les bourgeons gustatifs de la langue fournissent des informations sur le goût des aliments consommés.

❺ LA DÉGLUTITION

Une fois les aliments bien mastiqués, la langue applique une pression vers le haut et le fond de la bouche pour les faire passer dans la gorge. Lorsqu'ils atteignent l'arrière-gorge, ils déclenchent une action réflexe : les muscles de la gorge se contractent pour faire passer le bouché dans l'œsophage, le tube musculeux qui conduit la nourriture dans l'estomac. Dans le même temps, la respiration est brièvement interrompue par l'épiglotte qui se ferme, bouchant l'entrée de la trachée pour éviter que des aliments n'y pénètrent.

❻ LES MUSCLES DE LA MÂCHOIRE

Quatre paires de muscles actionnent la mâchoire inférieure pour permettre les mouvements de morsure et de mastication. Les plus puissants sont les muscles temporaux et les masséters. Ce sont ceux qui tirent la mâchoire inférieure vers le haut pour la fermer en appliquant une très forte pression. Les autres produisent des mouvements latéraux de la mâchoire pour permettre le broyage. En outre, les muscles des joues agissent pour maintenir la nourriture entre les dents pendant la mastication.

La digestion

La faim nous pousse à manger plusieurs fois par jour afin d'obtenir la ration de nutriments nécessaires à notre survie. Toutefois, les éléments assimilables par l'organisme ne sont pas directement accessibles dans la nourriture car ils s'y trouvent le plus souvent combinés chimiquement entre eux et avec d'autres substances. Pour les libérer, les aliments doivent être digérés. La digestion est un processus de dégradation qui s'effectue de deux manières. Par une action mécanique, elle écrase, broie et malaxe les aliments pour les réduire en bouillie. Par une action chimique due à des composés digestifs appelés enzymes, elle réduit les molécules complexes que renferme la nourriture en nutriments simples, tel le glucose, qui peuvent ensuite passer dans le sang.

❶ LE TUBE DIGESTIF

Le tube digestif est un long conduit qui, partant de la bouche, traverse tout le corps par le milieu et s'achève par l'anus. Ses différentes parties – la bouche, l'œsophage, l'estomac, l'intestin grêle et le gros intestin – agissent successivement pour traiter efficacement les aliments afin d'en extraire les nutriments.

❷ DANS LA BOUCHE

Lorsque nous mangeons, nos dents de devant, les incisives, mordent dans la nourriture. Leur action, assistée par celle des lèvres, contribue à placer les morceaux à l'intérieur de la bouche. Ces derniers sont ensuite broyés par les molaires qui les réduisent en bouillie tandis que la langue et les joues les déplacent et les malaxent. La salive se déverse dans la bouche pour humecter les particules alimentaires. Une fois la mastication achevée, la langue modèle les aliments en une boule visqueuse qui est poussée vers la gorge et avalée.

❸ DANS L'ESTOMAC

Situé entre l'œsophage et l'intestin grêle, l'estomac est une poche extensible en forme de J qui reçoit la nourriture avalée en vue de sa digestion. Les aliments y sont imbibés de sucs gastriques très acides contenant une enzyme qui digère les protéines, puis malaxés par les contractions de la paroi musculeuse de l'estomac. Au bout de trois à quatre heures d'un tel traitement, les aliments sont devenus un liquide crémeux. Celui-ci est alors transféré par petits jets dans l'intestin grêle à travers le sphincter pylorique, un petit anneau de muscles qui tient habituellement fermée la base de l'estomac.

❹ LE PANCRÉAS

Cet organe allongé, vu ici en coupe, est situé à l'horizontale en dessous de l'estomac, en contact avec la première partie de l'intestin grêle appelée duodénum. Lorsque la nourriture partiellement digérée arrive de l'estomac, le pancréas libère des sucs pancréatiques dans le duodénum. Ceux-ci renferment des enzymes qui digèrent les protéines, les hydrates de carbone et les acides nucléiques. D'autres enzymes digèrent les graisses, aidés dans cette tâche par la bile, qui est libérée par la vésicule biliaire.

❺ LE FOIE

Gros organe aux fonctions nombreuses, le foie a un rôle direct dans la digestion. C'est lui qui produit la bile qui est stockée dans la vésicule biliaire et libérée dans le duodénum. La bile réduit les graisses et les huiles en minuscules gouttelettes qui peuvent ainsi être attaquées plus facilement par les enzymes digestives spécifiques. Une fois la digestion achevée, c'est encore le foie qui traite le sang chargé de nutriments afin de stocker ces derniers et de les redistribuer partout où ils sont nécessaires.

❻ LES VILLOSITÉS INTESTINALES

C'est dans l'intestin grêle que s'achève la digestion proprement dite et que ses produits sont assimilés par l'organisme. Sa paroi interne est tapissée de millions de minuscules replis en forme de doigts appelés villosités dont le rôle est d'augmenter la surface de digestion et d'absorption. Attachées à ces villosités, des enzymes achèvent la digestion pour libérer le glucose, les acides aminés et les autres nutriments simples. Ceux-ci sont ensuite absorbés par des capillaires sanguins présents dans les villosités.

❼ LES EXCRÉMENTS

L'eau et les matières non digestibles sont tout ce qui subsiste à la sortie de l'intestin grêle. Lorsque ces rebuts passent dans le gros intestin, ils perdent leur eau en excès qui est réabsorbée par le sang. En même temps, des milliards de bactéries intestinales se nourrissent de ces restes, auxquels leur action donne une couleur brune. Il en résulte une masse de déchets formant les excréments, qui sont évacués avec une partie des bactéries par l'anus. Les bactéries intestinales fabriquent également certains nutriments utiles, comme la vitamine K2.

L'œsophage emporte les aliments de la bouche vers l'estomac.

Estomac

Intestin grêle et gros intestin

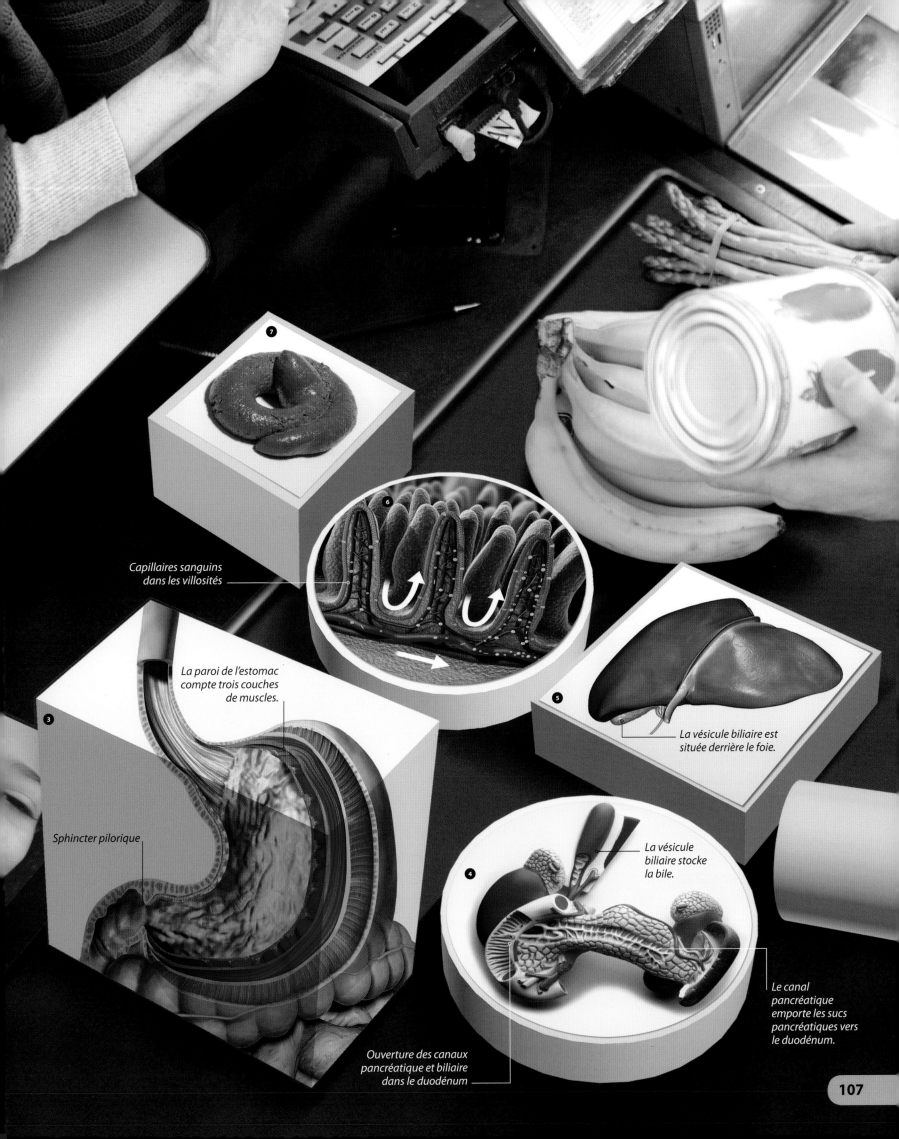

Capillaires sanguins
dans les villosités

La paroi de l'estomac
compte trois couches
de muscles.

Sphincter pilorique

La vésicule biliaire est
située derrière le foie.

La vésicule
biliaire stocke
la bile.

Le canal
pancréatique
emporte les sucs
pancréatiques vers
le duodénum.

Ouverture des canaux
pancréatique et biliaire
dans le duodénum

Le foie

Deuxième plus gros organe après la peau, le foie joue un rôle vital de nettoyeur du sang, dont il régule la composition. Ses cellules, organisées en unités de traitement appelées lobules, assurent plus de 500 fonctions. Leur unique rôle en rapport direct avec la digestion est de produire la bile. Mais elles ont aussi pour tâche de stocker, de convertir ou dégrader les nutriments issus du travail de l'intestin grêle. Le foie renferme également des globules blancs qui suppriment les bactéries et les débris présents dans le sang. En outre, les activités combinées des cellules du foie produisent de la chaleur qui participe à maintenir la température interne de l'organisme.

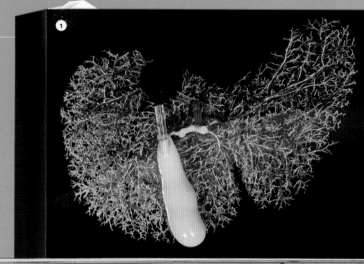

❶ LES VAISSEAUX SANGUINS

Cette image montre l'arborescence des vaisseaux sanguins qui parcourent le foie. Cet organe est original en ce sens qu'il présente deux réseaux d'alimentation sanguine. La veine porte (en bleu clair) véhicule le sang pauvre en oxygène mais riche en nutriments en provenance de l'intestin grêle, pour qu'il y soit traité par les cellules du foie. L'artère hépatique (en rouge), quant à elle, apporte de l'oxygène aux cellules du foie. La structure en jaune est la vésicule biliaire, qui stocke la bile.

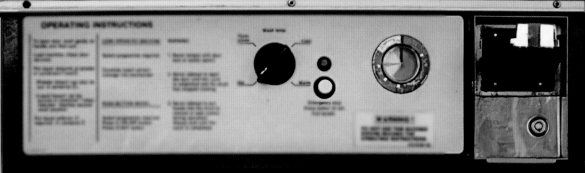

❷ LES CELLULES DU FOIE

Ces cellules extrêmement actives assurent de nombreuses fonctions. Elles traitent les éléments nutritifs – tels que glucose, graisses et acides aminés – absorbés par le sang dans l'intestin grêle afin de réguler leur concentration sanguine. Elles stockent également certains minéraux et certaines vitamines, fabriquent la bile, dégradent les hormones afin d'interrompre leur action et suppriment les substances toxiques contenues dans le sang.

❸ LES LOBULES DU FOIE

Les unités de traitement du foie sont les lobules, petites structures pas plus grosses qu'une graine de sésame. Elles sont constituées de couches verticales de cellules hépatiques rayonnant à partir d'une veine centrale. À chaque angle des lobules, des branches de la veine porte délivrent du sang riche en nutriments, et des branches de l'artère hépatique délivrent du sang riche en oxygène. Les fluides sanguins provenant de ces deux sources se mélangent et circulent dans les capillaires sinusoïdes où ils sont traités par les cellules hépatiques. Après traitement, le sang est collecté par la veine centrale.

La veine centrale (branche de la veine hépatique) collecte le sang traité pour le ramener vers le cœur.

Le lobule contient des couches de cellules hépatiques rayonnant à partir d'une veine centrale.

Branche du canal biliaire

Branche de l'artère hépatique apportant du sang riche en oxygène

Branche de la veine porte délivrant le sang riche en nutriments

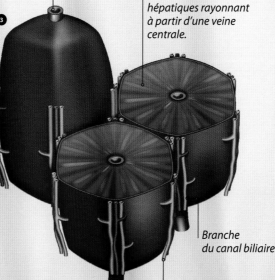

❹ LA BILE

Voici le revêtement interne (en vert) de la paroi des canaux biliaires, qui collectent et transportent la bile produite par le foie pour la stocker dans la vésicule biliaire et la déverser dans l'intestin grêle. La bile est un liquide jaune-vert composé essentiellement d'eau mais aussi de sels biliaires, qui interviennent dans la digestion des graisses dans l'intestin grêle. Elle renferme également des déchets, entre autres la bilirubine. Ce pigment est le produit de la dégradation de l'hémoglobine des globules rouges du sang arrivés en fin de vie. C'est la bilirubine qui, une fois traitée par les bactéries intestinales, colore les excréments en brun.

❺ LES CELLULES DE KUPFFER

Cette vue très grossie de l'intérieur d'un lobule montre l'activité dans un capillaire sinusoïde, gros capillaire poreux passant entre les cellules hépatiques. La cellule jaune aux formes irrégulières est une cellule de Kupffer, aussi appelée macrophage hépatique. Il s'agit d'un type de globule blanc sanguin qui vit en permanence dans le foie. Ici, elle a capturé et s'apprête à détruire un globule rouge usé. Elle s'attaque aussi aux bactéries et à d'autres déchets du sang.

L'excrétion

Il est d'une importance vitale pour l'organisme de maintenir dans le milieu intérieur des conditions absolument stables, en particulier dans le sang. Or, les cellules des tissus et des organes y rejettent continuellement des déchets sous la forme de substances constituant de véritables poisons potentiels. L'organisme ne doit donc en aucun cas laisser s'accumuler ces composés toxiques mais au contraire les éliminer. C'est le rôle du système urinaire. Celui-ci filtre les impuretés issues de l'activité des cellules, qu'il mélange avec l'eau et les sels présents en excès dans le sang pour constituer l'urine. Celle-ci est ensuite rejetée lors de la miction.

Les reins filtrent le sang pour produire l'urine.

La veine rénale remporte le sang débarrassé de ses impuretés par les reins.

L'artère rénale apporte le sang vers les reins.

L'uretère transporte l'urine vers la vessie.

Le bassinet du rein conduit l'urine vers l'uretère.

La vessie stocke l'urine et l'expulse lorsqu'elle est pleine.

L'urètre est le canal par lequel la vessie expulse l'urine.

Les néphrons, situés dans la partie foncée du rein, fabriquent l'urine.

LES URETÈRES ▼

Ces conduits, au nombre de deux, prolongent le bassinet de chaque rein et reçoivent un flux constant d'urine fabriquée par les néphrons. Ils débouchent dans la vessie. Leur paroi est constituée de deux couches de muscles lisses qui se contractent rythmiquement, provoquant des ondes de contraction vers le bas qui poussent l'urine vers la vessie. Dans l'œsophage et les intestins, des ondes de contraction similaires poussent les aliments à travers le tube digestif.

Bassinet du rein

L'uretère relie le rein à la vessie.

Vue en coupe d'un uretère, montrant la couche de muscles.

▲ LE SYSTÈME URINAIRE

Le système urinaire est constitué par les deux reins, les deux uretères, la vessie et l'urètre. Les reins ont pour fonction de filtrer le sang qu'ils reçoivent par l'artère rénale, et de produire l'urine. Celle-ci s'écoule ensuite dans les uretères en direction de la vessie, où elle est stockée avant d'être éliminée par l'urètre. Chaque jour, les reins traitent ainsi près de 1 750 litres de sang pour produire seulement 1,5 litre d'urine.

▲ LES REINS

Vu ici en coupe, le rein présente une région externe sombre qui renferme des millions d'unités de filtration appelées néphrons. Un fluide qui contient à la fois des déchets de l'activité cellulaire tels que l'urée, et des substances utiles comme le glucose, est d'abord extrait du sang par les néphrons, qui sont des unités d'échange à structure tubulaire complexe. À mesure que le fluide traverse le néphron, les substances utiles sont réabsorbées par le sang. Il n'y subsiste que les déchets, de l'eau et des sels qui constituent l'urine. Celle-ci s'écoule ensuite dans le bassinet.

LA VESSIE ▼

Cette poche extensible peut passer de la taille d'une prune à celle d'une grappe de raisins à mesure qu'elle se remplit d'urine. Son ouverture sur l'urètre est normalement maintenue fermée par des muscles sphincters en forme d'anneau. Lorsque la vessie est pleine, on ressent le besoin d'uriner. Le sphincter de l'urètre se relâche alors tandis que les muscles lisses de la paroi de la vessie se contractent lentement et rythmiquement pour appliquer une pression sur l'urine. Celle-ci s'écoule alors hors de l'organisme par l'urètre : c'est la miction.

▼ LE CONTRÔLE DE LA VESSIE

Des muscles sphincters interne et externe contrôlent l'ouverture de la vessie. Lorsque celle-ci augmente de volume, des récepteurs situés dans sa paroi envoient des signaux vers la moelle épinière qui renvoie alors aux sphincters l'ordre de se relâcher. Toutefois, une partie du message remonte vers l'encéphale, qui l'interprète comme l'envie d'uriner mais qui est capable d'empêcher volontairement les sphincters de se relâcher afin de retenir l'émission d'urine jusqu'au moment opportun. Les enfants ne savent pas contrôler leurs sphincters urinaires à la naissance : ils doivent apprendre à le faire en grandissant. C'est pourquoi ils doivent porter des couches.

Vessie

Les couches sont essentielles pour les nouveau-nés car ceux-ci ne peuvent pas contrôler leur émission d'urine.

Les germes pathogènes

Les germes pathogènes sont des menaces pour notre santé. Ce sont des agents qui perturbent l'activité normale de l'organisme. Virus microscopiques, bactéries unicellulaires, protozoaires plus complexes, champignons, vers : les ennemis sont nombreux. Ils ont en commun d'être des parasites qui tirent des bénéfices de l'organisme hôte sans rien lui offrir en retour. Au contraire, ils provoquent le plus souvent toute une série de maladies dont certaines peuvent être graves.

Les excroissances (antigènes) permettent au virus de se fixer sur les cellules hôtes ou bien d'en sortir.

▼ LES VIRUS

Les virus ne sont pas vraiment des êtres vivants. Il s'agit de petits paquets de matériel génétique entourés d'une capsule protectrice faite de protéines. Une fois à l'intérieur d'un organisme, ils en envahissent les cellules afin de se reproduire. Pour cela, ils injectent leur matériel génétique dans chaque cellule touchée, dont ils piratent le métabolisme normal pour lui faire produire des copies multiples du virus initial. Celles-ci, une fois libérées, vont envahir d'autres cellules du corps. L'image ci-dessous est celle d'un virus HIV qui infecte certaines cellules immunitaires de l'organisme, affaiblissant ses défenses naturelles et provoquant la maladie appelée SIDA.

Une capsule enveloppe le matériel génétique du virus.

◀ UN VIRUS DE LA GRIPPE

Les virus s'identifient grâce à des marqueurs appelés antigènes, qui forment des excroissances moléculaires à leur surface. Ainsi, ce virus de la grippe présente deux types d'antigènes. L'un permet au virus de se fixer et d'envahir les cellules des voies respiratoires supérieures. Les cellules infectées et le système immunitaire de l'organisme réagissent en provoquant une inflammation, l'élévation de la température corporelle et d'autres symptômes typiques de la grippe. L'autre type d'antigènes permet aux virus nouvellement formés de s'échapper des cellules hôtes pour aller en envahir d'autres.

LES BACTÉRIES ▼

Constituant la forme de vie la plus abondante sur Terre, les bactéries sont des organismes unicellulaires relativement simples. Certaines sont pathogènes, comme ce vibrion cholérique, responsable du choléra, qui est transmis par des eaux contaminées et qui provoque de graves diarrhées, parfois mortelles. Les bactéries pathogènes déclenchent des maladies en se fixant sur les cellules de l'organisme et en libérant des substances toxiques appelées toxines. La diphtérie, la fièvre typhoïde et la peste sont des maladies d'origine bactérienne. Les bactéries étant des cellules, elles se reproduisent comme toute cellule en se divisant par mitose.

Un flagelle permet à cette bactérie de se déplacer.

◀ LES PROTOZOAIRES

Ces organismes unicellulaires plus gros que les bactéries comptent dans leurs rangs de nombreuses formes libres comme les amibes, ainsi que certains pathogènes. Le Giardia (ci-contre), par exemple, est transmis par des eaux contaminées et infecte les intestins, provoquant de graves diarrhées qui rendent très malade. Un autre protozoaire, le Plasmodium, est transmis par les moustiques et provoque la malaria, ou paludisme. Cette maladie tropicale affecte 500 millions de personnes et en tue plus d'un million chaque année.

Le Giardia se fixe à la muqueuse intestinale par une sorte de ventouse.

LES CHAMPIGNONS ▶

Ni végétaux ni animaux, certains champignons sont des agents pathogènes qui se développent au dépens des tissus vivants et provoquent, le plus souvent sur la peau, des maladies appelées mycoses. Cette microphotographie montre un champignon se nourrissant d'écailles de peau et provoquant la teigne annulaire, qui s'accompagne de la formation d'anneaux rouges sur la peau. Ses filaments pénètrent la peau et digèrent les cellules hôtes. C'est un champignon similaire qui provoque le pied d'athlète.

Filaments

Des spores libérées par ces structures permettent au champignon de se multiplier.

◀ LES VERS ASCARIDES

Ces vers ont un corps de forme cylindrique. Certains, comme les oxyures et les ankylostomes, sont des parasites de l'homme. Les ankylostomes s'attrapent en marchant pieds nus sur des sols infectés par leurs larves. Celles-ci pénètrent dans la peau, migrent vers les poumons, sont expectorées puis avalées et parviennent dans l'intestin. Les adultes se fixent dans l'intestin grêle grâce à des « dents » en forme de crochets. Se nourrissant dès lors du sang de la paroi intestinale, ils provoquent des douleurs et des diarrhées.

L'ankylostome se fixe dans l'intestin de l'hôte par des sortes de dents.

▼ LES DOUVES

Cousins des planaires, vers plats présents dans les cours d'eau, les douves sont des vers trématodes parasites dont certains provoquent des maladies chez l'homme. Ainsi la schistosomiase, ou bilharziose, est une maladie tropicale qui affecte 200 millions de personnes dans le monde. On la contracte en nageant dans des eaux infestées par des larves de douve qui pénètrent dans la peau. Elles atteignent les veines autour des intestins ou de la vessie, où se développent les adultes. Les femelles se logent dans une cavité de l'organisme du mâle (ci-dessous), et pondent leurs œufs qui s'évacuent par les excréments ou l'urine. Adultes et œufs provoquent des dommages dans les tissus et affaiblissent l'organisme.

▼ LES VERS CESTODES

Autres cousins des planaires, les cestodes sont des vers plats qui vivent dans les intestins. C'est parmi eux que l'on trouve le fameux ténia, ou ver solitaire. Dépourvus de système digestif, ces vers « pompent » les nutriments produits par la digestion de l'organisme hôte. Chaque individu est constitué par une tête appelée scolex et un corps en forme de ruban qui peut atteindre 10 m de long. Des crochets et des ventouses présents sur le scolex permettent au parasite de s'ancrer dans la muqueuse intestinale. Le corps est constitué de segments qui produisent des œufs avant de se détacher et de s'évacuer par l'anus avec les excréments pour aller infecter de nouveau hôtes.

Un anneau de crochets permet au ténia de s'ancrer à son hôte.

Les barrières de l'organisme

Les menaces d'invasions de l'organisme par les agents pathogènes sont permanentes. Bactéries, virus et champignons peuvent y pénétrer par l'intermédiaire de l'air, de la nourriture et de la boisson, ou par contact direct. En première ligne de défense, l'organisme dispose donc de barrières pour arrêter les germes avant qu'ils ne puissent investir les tissus ou le sang et provoquer des infections. Il s'agit de barrières physiques telles que la peau et l'épithélium qui recouvre les conduits internes des organes, ainsi que de composés chimiques comme ceux présents dans les larmes et le suc gastrique. Les envahisseurs qui parviennent malgré tout à passer deviennent alors la cible des globules blancs.

▼ **LA SALIVE**

Produite en permanence, la salive tapisse l'intérieur de la bouche, la langue et les dents, contribuant au contrôle des bactéries et à la destruction des agents pathogènes présents dans les aliments et la boisson. Comme les larmes, elle contient des anticorps qui prennent les germes pour cibles, ainsi que des lysozymes tueurs de bactéries qui, dans la bouche, préviennent les caries dentaires. La salive renferme également des défensines, substances qui tuent les bactéries dans les blessures buccales et qui mobilisent les globules blancs pour lutter contre les envahisseurs.

◄ **LES BACTÉRIES DE LA PEAU**

Tant qu'elle n'est pas coupée, la peau constitue en elle-même une barrière efficace contre bon nombre de bactéries et d'agents infectieux. Mais il existe aussi à sa surface de nombreux types de bactéries défensives, comme cette *Acinetobacter baumanii*. Elles constituent la « flore » épidermique, une communauté de micro-organismes bénéfiques qui empêchent les germes pathogènes d'élire domicile et de se développer à la surface de la peau.

◄ **LES CELLULES ÉPITHÉLIALES**

Cette vue en coupe de l'intestin grêle montre, dans sa muqueuse, des cellules épithéliales en forme de colonne (en brun avec un noyau rose) étroitement serrées sans aucun espace entre elles. Celles-ci forment une barrière empêchant les agents pathogènes de passer dans les tissus sous-jacents ou dans le sang. Des cellules similaires se retrouvent dans l'épithélium des autres parties du tube digestif, ainsi que dans les systèmes respiratoire, urinaire et reproducteur. Elles sont également capables de produire un mucus visqueux qui englue et désactive les agents infectieux.

▼ LES LARMES

À chaque clignement, les paupières nettoient naturellement la cornée de l'œil en entraînant les poussières et autres impuretés présentes à sa surface. Dans le même temps, elles humidifient cette partie exposée de l'œil. Des yeux trop secs, en effet, s'irritent et rougissent et peuvent être sujets aux infections par des bactéries ou des virus. Les larmes contiennent également des lysozymes, enzymes qui attaquent et tuent les bactéries, ainsi que des anticorps qui visent des agents pathogènes spécifiques pour les anéantir.

▶ LES ACIDES GASTRIQUES

Cette vue au microscope de la muqueuse stomacale montre les replis formés par les villosités. Les ouvertures apparentes plongent vers la base des villosités, où se logent des glandes gastriques qui sécrètent le suc gastrique. Mélange d'enzymes et d'acides, celui-ci intervient dans la digestion des aliments. L'un de ses composants essentiels est l'acide chlorhydrique, un acide si puissant qu'il est employé, dans l'industrie pour le décapage des aciers, par exemple. Dans l'estomac, il crée des conditions si difficiles que les bactéries qui y parviennent par la boisson et la nourriture ne peuvent y survivre.

LA FLORE INTESTINALE ▶

Il existe dix fois plus de bactéries dans notre gros intestin que de cellules dans notre organisme. Elles forment une communauté appelée flore intestinale, qui se nourrit de la partie des aliments que nous ne pouvons pas digérer. Ces bactéries bénéfiques (ici en rose) créent également un environnement qui empêche le développement de bactéries pathogènes indésirables.

LES PHAGOCYTES ▶

Constituant les légions combattantes du système immunitaire, les phagocytes sont des globules blancs sanguins qui voyagent dans tout le système circulatoire, dans la lymphe et les tissus, à la recherche d'agents pathogènes invasifs. Ce macrophage (en rose), est un type de phagocyte. Il vient de localiser des bactéries (en jaune) qu'il s'apprête à engloutir et à détruire.

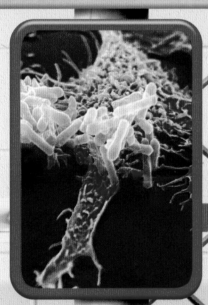

LE MUCUS ▶

L'air que nous inspirons contient des particules de poussière, des grains de pollen, des bactéries et des virus susceptibles d'attaquer les poumons. Afin de prévenir cette éventualité, la muqueuse de la cavité nasale, de la trachée (à droite) et des autres conduits du système respiratoire sécrète un mucus visqueux. L'air inspiré, en passant sur ces muqueuses, y dépose les impuretés qu'il contient qui se retrouvent engluées dans le mucus. De minuscules cils déplacent le mucus chargé vers la gorge, où celui-ci est avalé et traité lorsqu'il parvient dans l'estomac (voir ci-dessus).

Le système lymphatique

Comme le système circulatoire, le système lymphatique assure des fonctions vitales de transport et de défense de l'organisme. Les vaisseaux qui le composent drainent les fluides présents en excès dans les tissus. Ces fluides constituent la lymphe, qui est renvoyée dans le sang afin de maintenir un volume sanguin normal. Sans cette action, nos chairs et nos organes gonfleraient. Par ailleurs, les organes lymphoïdes du système lymphatique renferment des types de globules blancs appelés lymphocytes et macrophages, qui jouent un rôle essentiel dans le système immunitaire. Ces cellules s'attaquent aux germes pathogènes présents dans la lymphe, le sang ou l'air.

Les amygdales piègent les agents pathogènes présents dans les aliments ou dans l'air.

Les veines sous-clavières collectent la lymphe.

La rate est le plus gros des organes lymphoïdes.

Les vaisseaux lymphatiques s'achèvent en capillaires qui s'ouvrent directement sur les tissus.

Les ganglions lymphatiques filtrent la lymphe qui les traverse.

❶ LE SYSTÈME LYMPHATIQUE

Il est constitué par un réseau de vaisseaux lymphatiques et d'organes lymphoïdes parmi lesquels figurent les ganglions lymphatiques, les amygdales et la rate. Les plus petits de ces vaisseaux, les capillaires lymphatiques, se rassemblent pour former des vaisseaux plus gros, lesquels se rejoignent à leur tour en deux grands conduits principaux qui déversent la lymphe dans le sang au niveau des veines sous-clavières. La lymphe circule en sens unique dans les vaisseaux grâce à l'action des muscles squelettiques qui les entourent, qui compriment les vaisseaux en se contractant, et grâce à des valvules anti-retour semblables à celles que l'on trouve dans les veines.

❷ LES CAPILLAIRES LYMPHATIQUES

Les capillaires sanguins qui circulent au cœur des tissus laissent s'échapper des fluides pour apporter aux cellules oxygène et éléments nourriciers. La majeure partie de ces fluides est ensuite réabsorbée par les capillaires, mais pas la totalité. Le surplus est collecté par un réseau ramifié de capillaires lymphatiques qui s'insinuent, tout comme les capillaires sanguins, au cœur même des tissus mais qui, contrairement à ceux-ci, s'achèvent par des terminaisons en cul-de-sac. Le liquide clair collecté, désormais appelé lymphe, circule dans les capillaires lymphatiques où des valvules l'empêchent de refluer, pour aboutir dans des vaisseaux lymphatiques de plus gros diamètre.

Les capillaires sanguins véhiculent le sang dans les tissus.

Les terminaisons en cul-de-sac des capillaires lymphatiques drainent les fluides en excès dans les tissus.

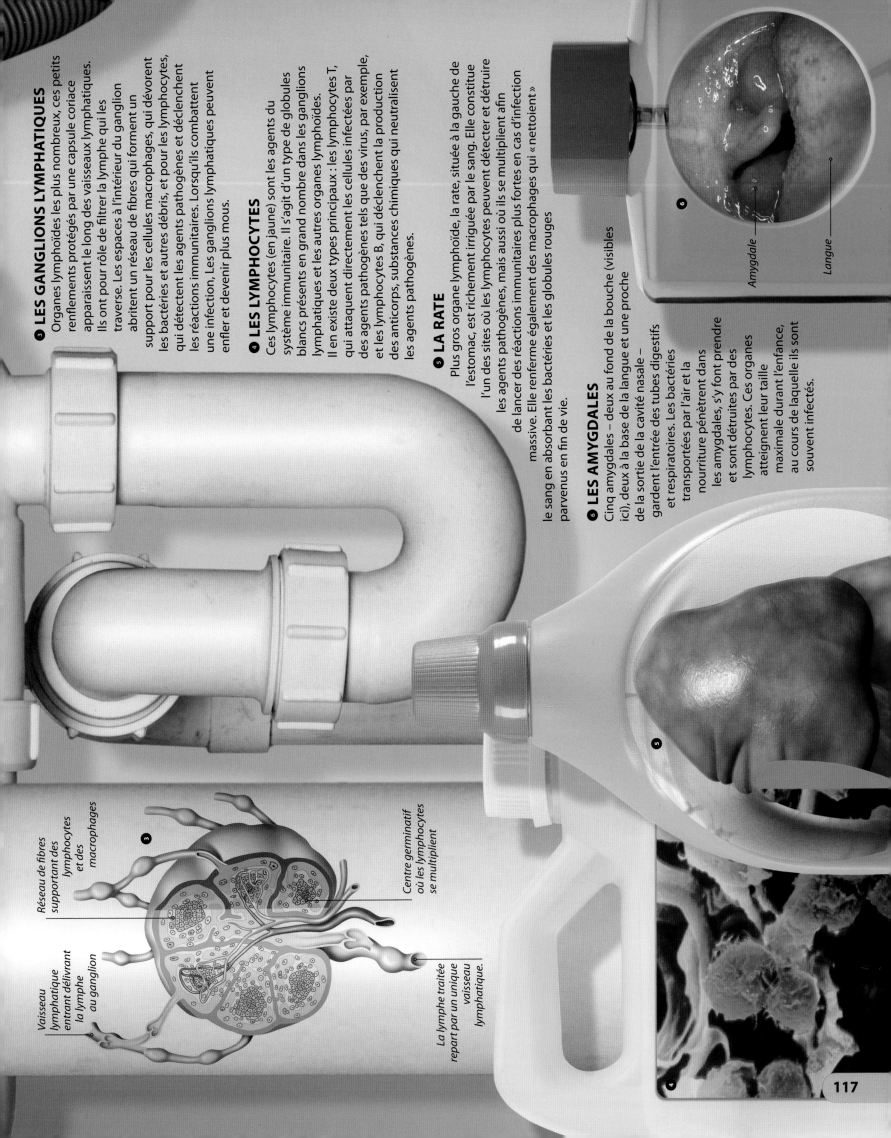

❸ LES GANGLIONS LYMPHATIQUES

Organes lymphoïdes les plus nombreux, ces petits renflements protégés par une capsule coriace apparaissent le long des vaisseaux lymphatiques. Ils ont pour rôle de filtrer la lymphe qui les traverse. Les espaces à l'intérieur du ganglion abritent un réseau de fibres qui forment un support pour les cellules macrophages, qui dévorent les bactéries et autres débris, et pour les lymphocytes, qui détectent les agents pathogènes et déclenchent les réactions immunitaires. Lorsqu'ils combattent une infection, les ganglions lymphatiques peuvent enfler et devenir plus mous.

❹ LES LYMPHOCYTES

Ces lymphocytes (en jaune) sont les agents du système immunitaire. Il s'agit d'un type de globules blancs présents en grand nombre dans les ganglions lymphatiques et les autres organes lymphoïdes. Il en existe deux types principaux : les lymphocytes T, qui attaquent directement les cellules infectées par des agents pathogènes tels que des virus, par exemple, et les lymphocytes B, qui déclenchent la production des anticorps, substances chimiques qui neutralisent les agents pathogènes.

❺ LA RATE

Plus gros organe lymphoïde, la rate, située à la gauche de l'estomac, est richement irriguée par le sang. Elle constitue l'un des sites où les lymphocytes peuvent détecter et détruire les agents pathogènes, mais aussi où ils se multiplient afin de lancer des réactions immunitaires plus fortes en cas d'infection massive. Elle renferme également des macrophages qui «nettoient» le sang en absorbant les bactéries et les globules rouges parvenus en fin de vie.

❻ LES AMYGDALES

Cinq amygdales – deux au fond de la bouche (visibles ici), deux à la base de la langue et une proche de la sortie de la cavité nasale – gardent l'entrée des tubes digestifs et respiratoires. Les bactéries transportées par l'air et la nourriture pénètrent dans les amygdales, s'y font prendre et sont détruites par des lymphocytes. Ces organes atteignent leur taille maximale durant l'enfance, au cours de laquelle ils sont souvent infectés.

Réseau de fibres supportant des lymphocytes et des macrophages

Vaisseau lymphatique entrant délivrant la lymphe au ganglion

Centre germinatif où les lymphocytes se multiplient

La lymphe traitée repart par un unique vaisseau lymphatique.

Amygdale

Langue

LES LYMPHOCYTES T

Les lymphocytes T détruisent les envahisseurs tels que les virus. Il en existe plusieurs types, notamment les lymphocytes T tueurs, les auxiliaires et les lymphocytes mémoires. Les lymphocytes tueurs inactifs sont activés lorsqu'ils détectent et localisent les antigènes d'un agent pathogène spécifique. Lorsque ce même antigène est reconnu par les lymphocytes T auxiliaires, ceux-ci stimulent les tueurs activés afin qu'ils se divisent rapidement pour produire des masses de clones qui iront détruire directement les cellules infectées. Les lymphocytes T mémoires gardent le souvenir de l'agent infectieux afin de réagir plus vite lors des prochaines infections.

LES LYMPHOCYTES T TUEURS

Les lymphocytes T tueurs, dits aussi cytotoxiques, sont les seuls lymphocytes T qui détruisent directement d'autres cellules. Une fois activés par les lymphocytes T auxiliaires, ils circulent dans le sang et la lymphe, attaquant les cellules de l'organisme infectées par des virus ainsi que les cellules cancéreuses. Ils identifient leurs cibles grâce à des marqueurs présents sur la membrane des cellules malades. Ci-dessus, des lymphocytes tueurs (en orange) lancent une attaque chimique contre une cellule cancéreuse (en rose), provoquant sa désintégration.

LES LYMPHOCYTES B

Ces cellules ont pour cibles les bactéries. Elles agissent en libérant des substances inactivantes : les anticorps. Chaque lymphocyte B réagit à un agent pathogène spécifique, reconnaissant l'antigène qui le caractérise comme un corps étranger. Si les récepteurs à sa surface sont sensibles aux antigènes de l'envahisseur, les lymphocytes B s'activent. Stimulés par les lymphocytes T auxiliaires, ils se multiplient rapidement pour produire de gros plasmocytes qui vont déverser des anticorps produits, lesquels conservent l'enregistrement de la signature de l'agent pathogène et réagissent immédiatement en cas de nouvelle attaque.

Les défenses actives

Le moyen de défense le plus puissant et le plus sophistiqué de l'organisme repose sur l'action des globules blancs appelés lymphocytes au sein du système immunitaire. Présents en particulier dans le système lymphatique, les lymphocytes identifient les agents pathogènes d'après leurs antigènes, des marqueurs que ceux-ci portent sur leur surface et qui les distinguent comme étant des corps étrangers. Il existe deux grands types de lymphocytes – les T et les B – qui recourent à des stratégies différentes pour anéantir les agents infectieux. Mais quel que soit son type, tout lymphocyte ne réagit qu'à un pathogène unique et spécifique dont il conserve la mémoire. Si, après une première infection, ce dernier attaque de nouveau, il est immédiatement reconnu et détruit. Il s'agit du mécanisme qui confère à l'organisme l'immunité face à la maladie.

LES ANTICORPS

Cette modélisation par ordinateur est celle d'une molécule en forme de Y d'un anticorps. Les anticorps sont des protéines libérées dans le sang et la lymphe par les lymphocytes B lorsque des agents pathogènes envahissent l'organisme. Chaque type d'anticorps agit contre un agent pathogène spécifique, identifié grâce aux antigènes à sa surface. La structure des bras du Y diffère d'un type d'anticorps à l'autre parce que c'est la partie qui se lie à la forme particulière de l'antigène. Lorsque les anticorps se fixent sur un agent pathogène, ils le désactivent et le marquent afin qu'il soit détruit par les phagocytes ou par d'autres protéines sanguines.

LA PHAGOCYTOSE

On voit ici un globule blanc sanguin enveloppant une bactérie pathogène (en rouge) pour l'absorber. Ce processus est appelé phagocytose. Outre la destruction des agents infectieux, bon nombre de ces globules blancs, parmi lesquels les macrophages, ont un autre rôle. Après avoir dévoré leurs proies, ils affichent certains de leurs antigènes sur leur surface puis vont les « présenter » aux lymphocytes T auxiliaires. Ces derniers libèrent alors des substances appelées cytokines qui ont le pouvoir d'activer à la fois des lymphocytes B et des lymphocytes T tueurs.

L'IMMUNISATION ET LA VACCINATION

La première fois que l'on est infecté par un agent pathogène, le système immunitaire met des jours à initier sa réaction par les anticorps. En revanche, lorsque le même agent infectieux se présente à nouveau, l'organisme est désormais immunisé et prêt à réagir contre lui. Mais certains pathogènes peuvent provoquer des premières infections graves. On utilise la vaccination pour activer notre résistance contre eux. En injectant dans l'organisme une version désactivée d'un agent pathogène, on provoque artificiellement une réaction immunitaire qui confère sa résistance à l'organisme sans provoquer de maladie.

Les traitements médicaux

Il existe de nombreux types de troubles et de maladies, mais tous ont en commun de perturber le fonctionnement normal de l'organisme. Les maladies infectieuses, comme la rougeole par exemple, sont dues à des agents pathogènes. Les maladies non infectieuses, comme les accidents cardio-vasculaires et les cancers, peuvent avoir une origine génétique ou être la conséquence d'une mauvaise hygiène de vie. Pour les soigner, nous disposons aujourd'hui, grâce aux avancées de la médecine moderne, de nombreux traitements médicaux.

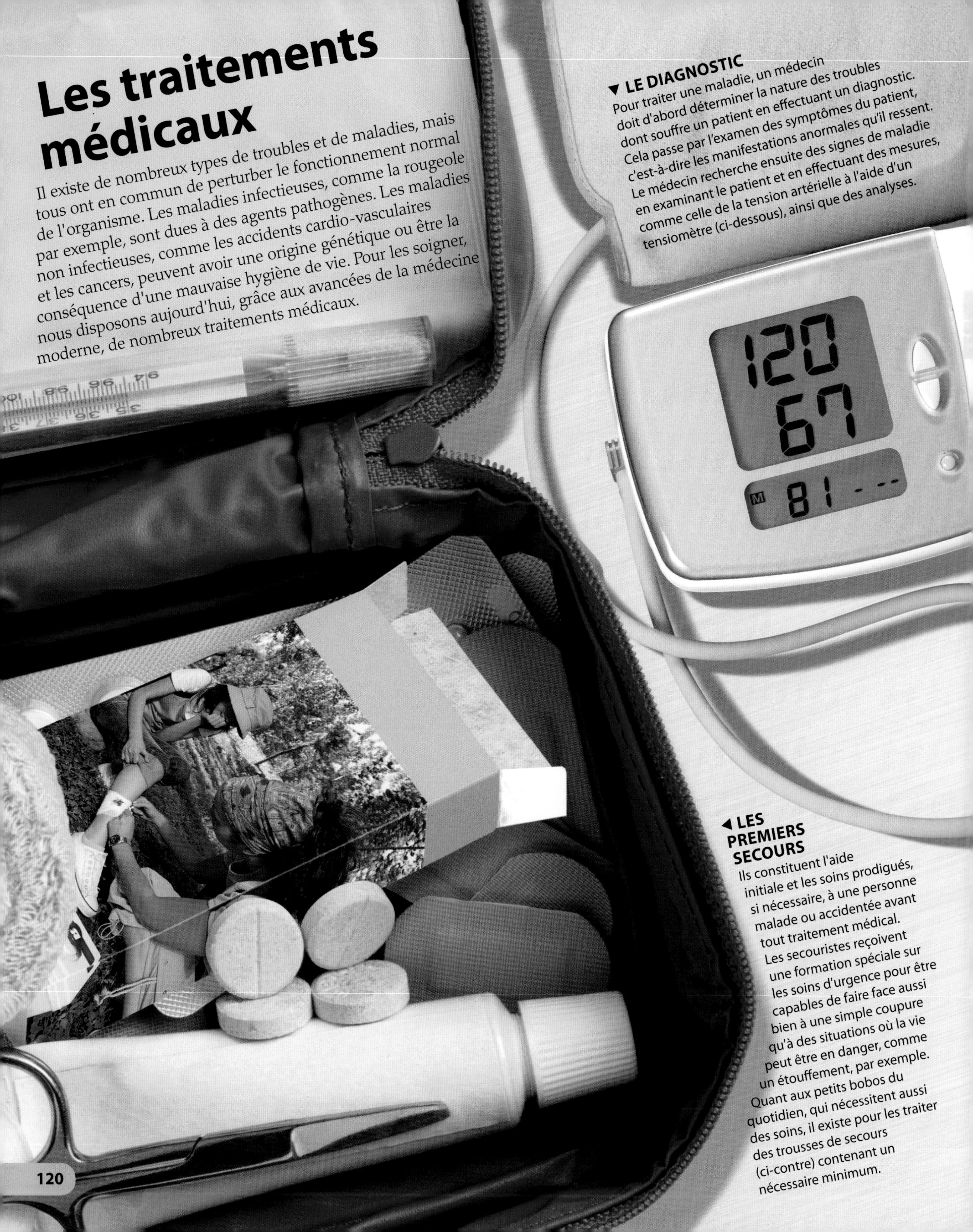

▼ LE DIAGNOSTIC

Pour traiter une maladie, un médecin doit d'abord déterminer la nature des troubles dont souffre un patient en effectuant un diagnostic. Cela passe par l'examen des symptômes du patient, c'est-à-dire les manifestations anormales qu'il ressent. Le médecin recherche ensuite des signes de maladie en examinant le patient et en effectuant des mesures, comme celle de la tension artérielle à l'aide d'un tensiomètre (ci-dessous), ainsi que des analyses.

◄ LES PREMIERS SECOURS

Ils constituent l'aide initiale et les soins prodigués, si nécessaire, à une personne malade ou accidentée avant tout traitement médical. Les secouristes reçoivent une formation spéciale sur les soins d'urgence pour être capables de faire face aussi bien à une simple coupure qu'à des situations où la vie peut être en danger, comme un étouffement, par exemple. Quant aux petits bobos du quotidien, qui nécessitent aussi des soins, il existe pour les traiter des trousses de secours (ci-contre) contenant un nécessaire minimum.

LES MÉDICAMENTS ▶

Lorsque le médecin a diagnostiqué une maladie, il peut décider, pour la traiter, de recourir à des médicaments. Il s'agit de substances chimiques qui agissent en modifiant la façon dont l'organisme fonctionne, ou en détruisant les agents pathogènes fauteurs de troubles. Il existe donc des médicaments de nombreux types différents tels que les antibiotiques, qui tuent les bactéries, ou les analgésiques, qui apaisent la douleur. Mal dosés, les médicaments peuvent devenir très toxiques. C'est pourquoi il est essentiel de toujours respecter la posologie indiquée par le médecin.

◀ LA CHIRURGIE

La chirurgie intervient lorsqu'il est nécessaire d'ouvrir le corps d'un patient pour retirer, réparer ou remplacer un tissu ou un organe malade ou endommagé. Elle se pratique parfois par endoscopie, qui ne nécessite que de petites incisions. Durant une intervention, les chirurgiens et les infirmières portent des blouses, des gants et des masques et leurs instruments sont complètement stérilisés, afin de réduire le risque d'infecter le patient.

◀ LA RADIOTHÉRAPIE

Le terme cancer désigne toute une série de maladies graves, affectant par exemple le poumon ou le colon, résultant de la division anormale et anarchique de cellules qui se mettent à produire des tumeurs. Celles-ci empêchent le fonctionnement normal de l'organisme. Les tumeurs peuvent être traitées par la chirurgie ou les médicaments mais aussi par radiothérapie . La partie de l'organisme affectée est soumise à des rayonnements de haute énergie qui pénètrent les tissus et tuent les cellules cancéreuses.

LES MÉDECINES ALTERNATIVES ▶

Il s'agit de techniques utilisées en supplément ou à la place de la médecine classique pour traiter divers troubles. On trouve parmi elles les médecines traditionnelles, la phytothérapie, la réflexologie, l'ostéopathie, l'aromathérapie ou l'acupuncture (ci-contre). Cette médecine chinoise ancienne se pratique en piquant de très fines aiguilles en des points spécifiques de la surface du corps afin d'ouvrir des « canaux énergétiques », ce qui a des effets bénéfiques.

LA PHYSIOTHÉRAPIE ▶

Un physiothérapeute utilise diverses techniques physiques pour restaurer le fonctionnement normal du corps ou améliorer sa souplesse et sa mobilité après une maladie, une intervention chirurgicale, une blessure accidentelle, ou après une longue immobilisation. Parmi les moyens employés figurent des exercices, des massages, des manipulations et la stimulation électrique. Ici, une patiente est traitée dans une piscine d'hydrothérapie. Le fait d'être portée par l'eau réduit son poids et lui permet de faire travailler la partie supérieure de son corps sans appliquer de contraintes sur ses jambes.

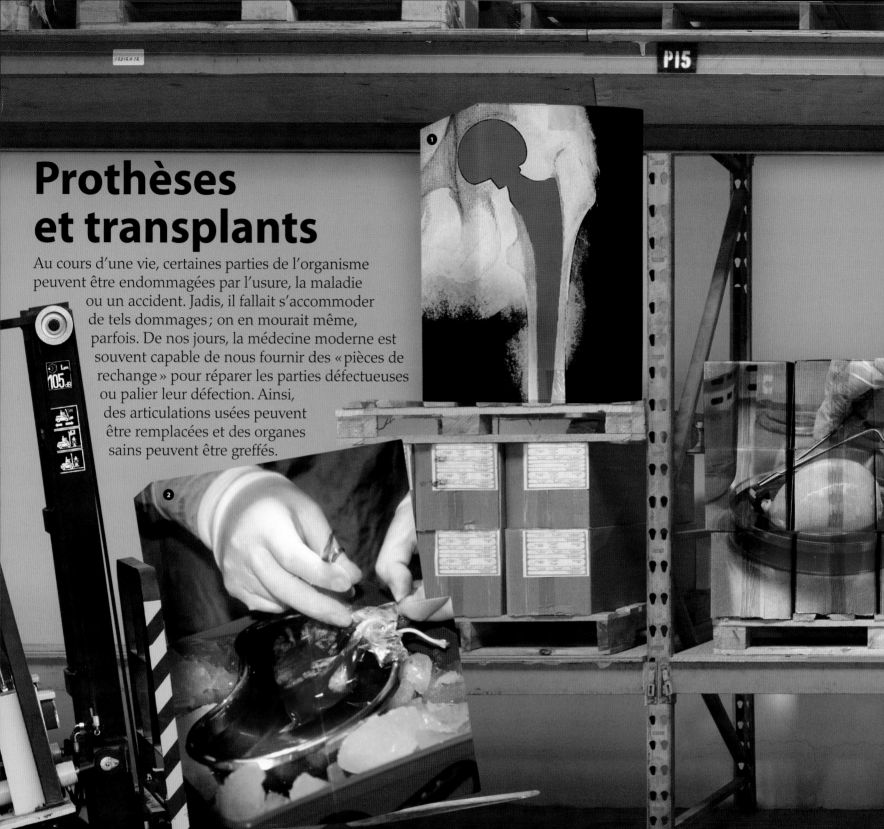

Prothèses et transplants

Au cours d'une vie, certaines parties de l'organisme peuvent être endommagées par l'usure, la maladie ou un accident. Jadis, il fallait s'accommoder de tels dommages; on en mourait même, parfois. De nos jours, la médecine moderne est souvent capable de nous fournir des «pièces de rechange» pour réparer les parties défectueuses ou palier leur défection. Ainsi, des articulations usées peuvent être remplacées et des organes sains peuvent être greffés.

❶ ARTICULATIONS ARTIFICIELLES

L'âge et la maladie peuvent endommager les os et leurs articulations, mais il est possible de réparer ce type de dommages à l'aide de prothèses. Cette radiographie montre une prothèse de hanche implantée entre le fémur et le bassin. Le chirurgien a remplacé l'os malade de la partie supérieure du fémur par une prothèse (en bleu) en métal ou en plastique dont la tête s'insère dans une nouvelle rotule placée dans le bassin. D'autres articulations, comme celles du genou et de l'épaule, peuvent être remplacées de la même manière.

❷ LES TRANSPLANTATIONS D'ORGANES

Dans une salle d'opération, un chirurgien ouvre un sac contenant un rein qui vient d'être prélevé sur un donneur. Ce rein va maintenant être transplanté dans le corps d'un patient dont le rein est défectueux. Une fois relié au système circulatoire du patient, l'organe sain transplanté va reprendre ses fonctions ordinaires de filtration des déchets. Il existe toutefois un risque permanent que le système immunitaire du patient attaque l'organe greffé provenant d'un organisme étranger. Le patient devra donc prendre toute sa vie des médicaments «anti-rejet» qui suppriment la réaction immunitaire. Beaucoup d'autres organes, comme le foie et le cœur, peuvent être transplantés.

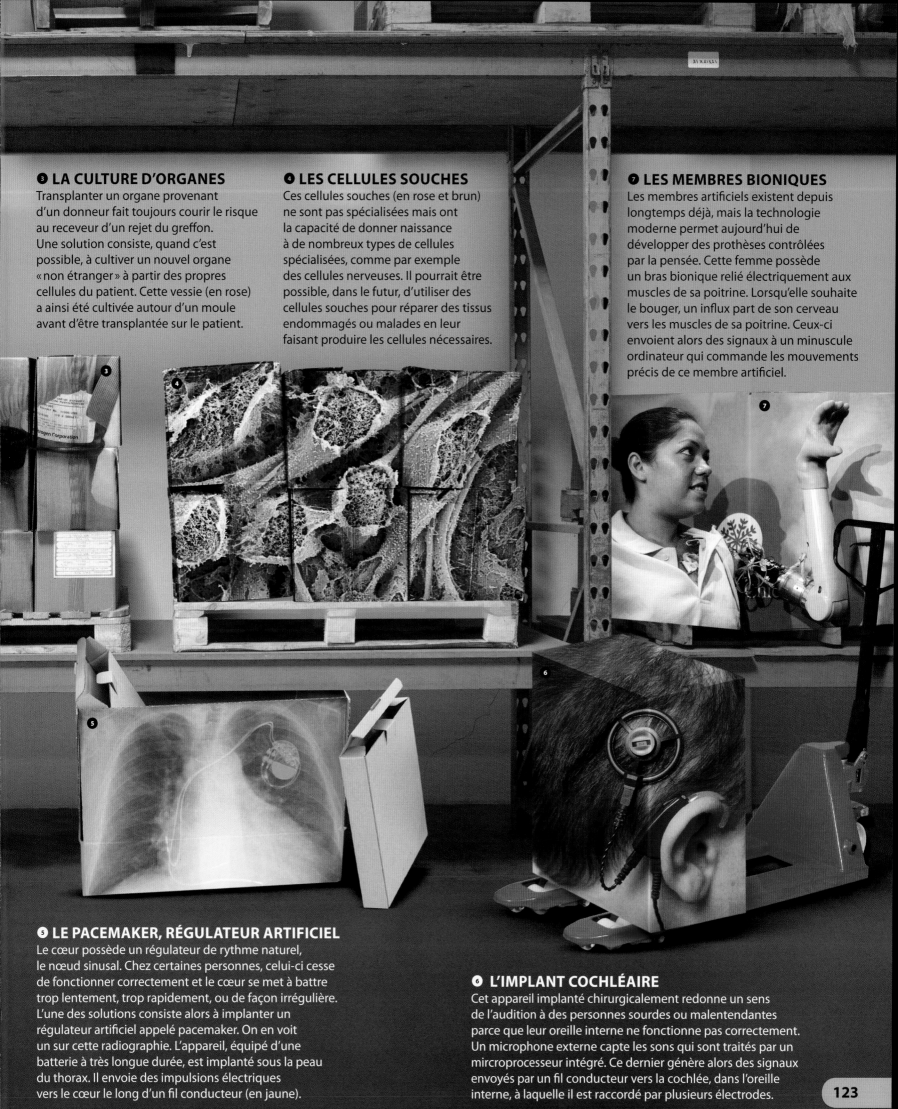

❸ LA CULTURE D'ORGANES

Transplanter un organe provenant d'un donneur fait toujours courir le risque au receveur d'un rejet du greffon. Une solution consiste, quand c'est possible, à cultiver un nouvel organe « non étranger » à partir des propres cellules du patient. Cette vessie (en rose) a ainsi été cultivée autour d'un moule avant d'être transplantée sur le patient.

❹ LES CELLULES SOUCHES

Ces cellules souches (en rose et brun) ne sont pas spécialisées mais ont la capacité de donner naissance à de nombreux types de cellules spécialisées, comme par exemple des cellules nerveuses. Il pourrait être possible, dans le futur, d'utiliser des cellules souches pour réparer des tissus endommagés ou malades en leur faisant produire les cellules nécessaires.

❼ LES MEMBRES BIONIQUES

Les membres artificiels existent depuis longtemps déjà, mais la technologie moderne permet aujourd'hui de développer des prothèses contrôlées par la pensée. Cette femme possède un bras bionique relié électriquement aux muscles de sa poitrine. Lorsqu'elle souhaite le bouger, un influx part de son cerveau vers les muscles de sa poitrine. Ceux-ci envoient alors des signaux à un minuscule ordinateur qui commande les mouvements précis de ce membre artificiel.

❺ LE PACEMAKER, RÉGULATEUR ARTIFICIEL

Le cœur possède un régulateur de rythme naturel, le nœud sinusal. Chez certaines personnes, celui-ci cesse de fonctionner correctement et le cœur se met à battre trop lentement, trop rapidement, ou de façon irrégulière. L'une des solutions consiste alors à implanter un régulateur artificiel appelé pacemaker. On en voit un sur cette radiographie. L'appareil, équipé d'une batterie à très longue durée, est implanté sous la peau du thorax. Il envoie des impulsions électriques vers le cœur le long d'un fil conducteur (en jaune).

❻ L'IMPLANT COCHLÉAIRE

Cet appareil implanté chirurgicalement redonne un sens de l'audition à des personnes sourdes ou malentendantes parce que leur oreille interne ne fonctionne pas correctement. Un microphone externe capte les sons qui sont traités par un mircroprocesseur intégré. Ce dernier génère alors des signaux envoyés par un fil conducteur vers la cochlée, dans l'oreille interne, à laquelle il est raccordé par plusieurs électrodes.

123

Glossaire

ACIDES AMINÉS Composés chimiques, au nombre de 20 dans l'organisme humain, qui sont les unités de base constituant les protéines.

ACIDE DÉSOXYRIBONUCLÉIQUE (ADN) Substance composée d'une très longue molécule présente dans le noyau des cellules et portant les gènes.

ACIDE RIBONUCLÉIQUE (ARN) Composé ayant pour fonction de copier et de transcrire les instructions codées dans les gènes de l'ADN pour fabriquer des protéines.

ADIPEUX Se dit d'une structure constituée de graisse ou renfermant de la graisse.

AMIDON Glucide complexe produit par les plantes qui est dégradé en glucose lors de la digestion.

ANTICORPS Type de protéines libérées par les cellules du système immunitaire qui désactivent les agents pathogènes comme les bactéries, et les marquent en vue de leur destruction.

ANTIGÈNE Marqueur chimique présent à la surface d'une bactérie ou autre agent pathogène reconnu comme étranger à l'organisme par le système immunitaire.

AXONE Fibre nerveuse ; longue extension d'un neurone qui véhicule l'influx nerveux depuis le corps cellulaire vers un autre neurone ou un muscle.

BACTÉRIES Groupe d'organismes unicellulaires et microscopiques dont certains provoquent des maladies, comme le choléra.

BIFACE Outil préhistorique en silex présentant deux faces ayant été taillées.

BIONIQUE Qualifie une prothèse actionnée électriquement et souvent capable de fonctionner d'une façon similaire à celle du membre qu'elle remplace.

CALCIUM Minéral utilisé par l'organisme notamment dans la structure des os et des dents.

CARTILAGE Tissu conjonctif à la fois coriace et souple qui recouvre l'extrémité des os dans les articulations et contribue à leur mouvement.

CELLULE Unité de base microscopique de la structure de l'organisme constituée généralement d'une membrane renfermant un cytoplasme et un noyau. Il en existe entre 40 et 60 000 milliards dans l'organisme.

CELLULE SOUCHE Cellule non spécialisée qui se divise de façon répétée pour donner naissance à des cellules spécialisées comme les cellules nerveuses ou musculaires.

CHROMOSOMES Structures au nombre de 46 dans le noyau des cellules humaines, constituées d'ADN et porteuses des gènes qui pilotent le développement et la vie de l'organisme.

CIL SENSORIEL Extension semblable à un poil microscopique issue de certaines cellules nerveuses sensorielles possédant un rôle détecteur.

CIL VIBRATILE Extension de certaines cellules, semblable à un poil microscopique, animée de mouvements d'avant en arrière et dont le rôle est de déplacer des matériaux comme du mucus ou des poussières.

COLLAGÈNE Robuste protéine fibreuse qui confère leur résistance à certains tissus conjonctifs tels les cartilages.

CORTEX CÉRÉBRAL Mince couche externe du cerveau dans laquelle sont traitées les informations relatives à l'intellect, la mémoire, les sens et les mouvements.

CYTOPLASME Fluide gélatineux qui remplit l'intérieur d'une cellule et qui contient le noyau.

DIOXYDE DE CARBONE Gaz rebut de l'activité de production d'énergie dans les cellules et rejeté dans l'air lors de l'expiration.

EMBRYON Nom donné à un bébé en développement entre sa fixation dans l'utérus et l'âge de huit semaines après la fécondation.

ENDOSCOPE Instrument permettant de voir l'intérieur du corps, utilisé lors d'examens ou d'interventions chirurgicales.

ÉNERGIE Capacité à effectuer un travail, essentielle pour maintenir une cellule en fonction.

ENZYME Type de protéines agissant comme catalyseur biologique. Les enzymes accélèrent fortement certaines réactions chimiques au sein et en dehors des cellules, comme la dégradation des aliments passant dans les intestins.

ESPÈCE Groupe d'êtres vivants capables de se reproduire entre eux et dont les descendants ne sont pas stériles.

ÉVOLUTION Processus par lequel les êtres vivants changent progressivement au cours du temps pour s'adapter à des conditions qui se modifient, et aboutissant à l'apparition de nouvelles espèces.

FLAGELLE Long cil mobile dont sont pourvues certaines cellules de l'organisme et certains micro-organismes, leur permettant de se déplacer.

FŒTUS Nom donné à un bébé en développement dans l'utérus à partir de la neuvième semaine après la fécondation et jusqu'à sa naissance.

FOLLICULE PILEUX Structure formant une dépression dans la peau dans laquelle pousse un poil.

GASTRIQUE Relatif à l'estomac.

GÈNE Instruction codée portée, dans le noyau des cellules, par l'ADN des chromosomes et qui commande la production des protéines constituant et faisant fonctionner les cellules. L'homme possède environ 25 000 gènes.

GLANDE Organe constitué de cellules qui produisent des substances libérées dans ou en dehors de l'organisme et dont l'effet est de modifier le fonctionnement de l'organisme.

GLUCIDES Groupe d'aliments formé par les sucres simples et complexes.

GLUCOSE Glucide simple véhiculé par le sang et constituant la principale source d'énergie des cellules de l'organisme.

GREFFON Nom donné à un organe ou à des tissus greffés.

HÉPATIQUE Relatif au foie.

HOMININES Sous-tribu (niveau de la classification des espèces) regroupant les espèces de la lignée humaine (genres *Australopithecus* et *Homo*) à laquelle appartient l'homme (*Homo sapiens*).

HORMONE Substance sécrétée par une glande et libérée dans le sang, agissant comme messager chimique. Les hormones contrôlent certains processus vitaux comme la reproduction et la croissance.

HYDRATE DE CARBONE Synonyme de glucide.

INFLUX NERVEUX Infime signal électrique circulant à grande vitesse dans un neurone, transportant des informations et des instruction vers diverses parties de l'organisme.

KÉRATINE Protéine résistante et imperméable constituant les poils, les ongles et l'épiderme.

LIGAMENT Bande de tissu conjonctif très résistant reliant les os entre eux au niveau des articulations.

LYMPHE Fluide en excès drainé des tissus par les vaisseaux lymphatiques et renvoyé dans le système sanguin.

LYMPHOCYTE Type de globule blanc jouant un rôle essentiel dans le système immunitaire.

LYMPHOÏDE Qualifie un organe associé au système lymphatique.

LYSOZYME Type de protéine présent dans les larmes, la salive et la sueur qui tue certaines bactéries dangereuses.

MACROPHAGE Type de globule blanc de grandes dimensions qui absorbe et détruit les agents pathogènes et joue un rôle important dans le système immunitaire.

MÉIOSE Type de division cellulaire donnant naissance à quatre cellules filles possédant la moitié du stock de chromosomes de la cellule mère, servant à produire les cellules sexuelles (ovules et spermatozoïdes)

MÉLANINE Pigment brun noir qui colore la peau et les cheveux.

MÉTABOLISME Ensemble des transformations chimiques et énergétiques au cœur de la cellule et de l'organisme pour le maintenir vivant et actif.

MÉTABOLISME DE BASE Dépense d'énergie minimum permettant à l'organisme de se maintenir en vie au repos, hors de toute activité.

MICRO-ORGANISME Organisme vivant observable uniquement avec un microscope.

MITOCHONDRIE Structure située dans le cytoplasme intervenant dans le stockage et la libération d'énergie au sein de la cellule.

MITOSE Type de division cellulaire produisant deux cellules filles identiques à la cellule mère. Elle permet la multiplication des cellules au cours de la croissance ainsi que la réparation des tissus endommagés et le remplacement des cellules mortes.

MOLÉCULE Groupe d'atomes reliés les uns aux autres pour former un composé. Ainsi, des atomes de carbone, d'oxygène et d'hydrogène se lient pour former une molécule de glucose, par exemple.

MUCUS Fluide épais et visqueux qui protège et lubrifie les muqueuses tapissant l'intérieur des organes respiratoires et digestifs.

MUSCLE CARDIAQUE Type de muscle rencontré uniquement dans le cœur.

MUSCLE LISSE Type de muscle présent dans la paroi des organes creux et qui provoque des contractions pour déplacer le contenu de ces organes, comme par exemple l'urine dans la vessie ou les aliments dans le tube digestif.

MUSCLE SQUELETTIQUE Type de muscle relié aux os du squelette et qui les fait bouger.

NEURONE Nom donné aux milliards de cellules nerveuses constituant le système nerveux.

NEURONE D'ASSOCIATION Type de neurone ayant pour fonction de relayer les influx nerveux d'un neurone vers un autre, ainsi que de traiter l'information.

NEURONE MOTEUR Type de neurone qui véhicule l'influx nerveux depuis le système nerveux central vers les muscles ou les glandes de l'organisme.

NEURONE SENSORIEL Type de neurone véhiculant l'influx nerveux depuis les récepteurs sensoriels vers le système nerveux central.

NOYAU Centre de contrôle de la cellule situé dans son cytoplasme et renfermant son ADN.

NUTRIMENT Substance telle que glucide, protéine, lipide, vitamine, obtenue par l'alimentation essentielle au fonctionnement normal de l'organisme.

OLFACTIF Relatif à l'odorat.

ORGANE Partie du corps, comme les reins, le cerveau ou l'estomac, constituée de deux types de tissus différents ou plus et qui possède un ou des rôles spécifiques au sein de l'organisme.

ORGANISME Cellule unique ou ensemble de cellules fonctionnant en association et constituant un être vivant individuel.

OXYGÈNE Gaz présent dans l'air qui est inspiré, absorbé par le sang et utilisé par les cellules pour libérer l'énergie du glucose.

PATHOGÈNE Qualifie un micro-organisme provoquant une maladie.

PHAGOCYTE Type de globule blanc qui enveloppe les déchets et bactéries et les incorpore à lui-même pour les détruire.

PHARYNX Cavité formant la gorge, point de rencontre de la cavité nasale, de la cavité buccale, des trompes d'Eustache menant à l'oreille interne, de l'œsophage et du larynx.

PROTOZOAIRE Groupe d'organismes unicellulaires dont certains provoquent des maladies, comme la malaria.

RÉCEPTEUR SENSORIEL Cellule nerveuse spécialisée ou extrémité d'un neurone possédant la capacité de détecter un stimulus tel que de la lumière, une odeur, un son ou un contact sur la peau.

RÉFLEXE Réaction rapide, automatique et inconsciente à un stimulus, ayant souvent pour fonction de protéger l'organisme d'un danger.

RESPIRATION AÉROBIE Libération d'énergie produite par la dégradation du glucose et d'autres substances, intervenant dans les cellules et nécessitant de l'oxygène.

RESPIRATION ANAÉROBIE Libération d'énergie produite par la dégradation du glucose et d'autres substances, intervenant dans les cellules et ne nécessitant pas d'oxygène.

SEL MINÉRAL Composé chimique d'origine minérale, renfermant des éléments comme le fer ou le calcium, nécessaire à la bonne santé de l'organisme et devant être présent dans le régime alimentaire.

SYSTÈME IMMUNITAIRE Ensemble de cellules présentes dans les systèmes circulatoire et lymphatique qui protègent l'organisme des agents pathogènes et des maladies qu'ils provoquent.

SYSTÈME NERVEUX AUTONOME Partie du système nerveux central qui contrôle de manière automatique de nombreux processus vitaux, comme le rythme cardiaque ou le changement de diamètre de la pupille de l'œil.

SYSTÈME NERVEUX CENTRAL Centre de contrôle du système nerveux constitué par l'encéphale et la moelle épinière.

TENDON Cordon ou feuille de robuste tissu conjonctif reliant un muscle à un os.

TISSU Groupe de cellules d'un même type ou de types similaires constituant un ensemble ayant un type donné de fonction.

TOXINE Substance toxique.

VIRUS Groupe d'agents infectieux non vivants constitués de matériel génétique qui provoque des maladies en perturbant le fonctionnement génétique normal des cellules.

VITAMINES Substances organiques nécessaires en dose infime au bon fonctionnement de l'organisme, obtenues par l'alimentation. On en dénombre au moins 13, répertoriées sous les noms de vitamines A, B, C, D, E et K.

Index

Remerciements

L'éditeur souhaite remercier :
Balloon Art Studio pour les p. 16–17 et Chris Bernstein.

Les éditeurs adressent également leurs remerciements aux personnes et/ou organismes cités ci-dessous pour leur aimable autorisation à reproduire les photographies suivantes :

Légende :
a = au-dessus ; b = bas/en-dessous ; c = centre ; x = extrême ; g = gauche ; d = droite ; h = haut

4 Science Photo Library: Steve Gschmeissner (hg); David Mccarthy (hd). **5 Science Photo Library:** Steve Gschmeissner (hc). **6–7 Science Photo Library:** Steve Gschmeissner. **8 Getty Images:** Sue Flood (cgb); Shuji Kobayashi (bg); Sergio Pitamitz (cd); Juan Silva (ca). **8–9 iStockphoto.com:** UteHil (c). **9 Dreamstime.com:** Akhilesh Sharma (bg). **Getty Images:** Jurgen Freund (cdb); Image Source (cg); Ariadne Van Zandbergen (hc). **iStockphoto.com:** altaykaya (cd); eurobanks (bd). **10 Alamy Images:** Encyclopaedia Britannica / Universal Images Group Limited (hd) (bc). **iStockphoto.com:** Hans Slegers (bd/Ferns). **Science Photo Library:** Mauricio Anton (cg) (bd). **10–11 Getty Images:** Panoramic Images (arrière plan); Thinkstock (fougère). **iStockphoto.com:** Dmitry Mordvintsev (c). **11 Alamy Images:** Encyclopaedia Britannica / Universal Images Group Limited (hg). **Getty Images:** The Bridgeman Art Library / Prehistoric (cgb). **The Natural History Museum, London:** John Sibbick (ca) (cdb). **12 Corbis:** Science Photo Library / Steve Gschmeissner (bc); Visuals Unlimited (cgb) (ca). **13 Science Photo Library:** (cd); Eye Of Science (hc); Eric Grave (hc); Steve Gschmeissner (bc); David Mccarthy (hd); Professors P.M. Motta, P.M. Andrews, K.R. Porter & J. Vial (ca). **14 Corbis:** Image Source (fcda). **iStockphoto.com:** Kate Leigh (hd/bouton). **Science Photo Library:** JJP / Eurelios (cb); Pasieka (hc). **14–15 Dreamstime.com:** Tanikewak (h/pelottes de laine). **iStockphoto.com:** Laura Eisenberg (t/aiguilles); Magdalena Kucova (b/ruban); Tomograf (arrière plan). **15 Corbis:** MedicalRF.com (xcg). **iStockphoto.com:** Kate Leigh (hg/bouton). **Science Photo Library:** Dr. Tony Brain (cgb); Equinox Graphics (xcga); Pasieka (xcd). **17 Dorling Kindersley:** Lindsey Stock (hd) (bg). **18 Corbis:** Photo Quest Ltd/ Science Photo Library (c). **Science Photo Library:** Eye Of Science (bc); Susumu Nishinaga (hc). **18–19 Dorling Kindersley:** Denoyer-Geppert (c). **19 Science Photo Library:** Steve Gschmeissner (bd). **20–21 Alamy Images:** Eschcollection L (arrière plan). **21 Science Photo Library:** Steve Gschmeissner (hc). **22 Science Photo Library:** (cb); David M. Martin, MD (hd); Mehau Kulyk (cda); Sovereign, ISM (bg) (cga); Zephyr (bd). **23 Science Photo Library:** GJLP (hg); Dr Najeeb Layyous (cd); Hank Morgan (c) (hd); Geoff Tompkinson (bd); Zephyr (cd). **24 Corbis:** Owen Franken (cda/beach); Jack Hollingsworth / Blend Images (hc/personnes); MedicalRF.com (c). **Dreamstime.com:** Marylooo (hd). **iStockphoto.com:** Lyudmyla Nesterenko (xcg). **24–25 Corbis:** Lawrence Manning (arrière plan). **25 Corbis:** Miles / Zefa (hc/mains) (ca/bocal); Photodisc / Kutay Tanir (c). **Getty Images:** Photodisc / Thomas Northcut (cb/bocal); Visuals Unlimited / Wolf Fahrenbach (cd). **Science Photo Library:** Martin Dohrn (cb/peau). **26 Corbis:** MedicalRF.com (bd). **iStockphoto.com:** Jeff Chevrier (b/chevaux sur le sol); Ronald N Hohenhaus (xbg); Kriando Design (cd); Sefaoncul (xcd); Studiovitra (c). **Science Photo Library:** Susumu Nishinaga (cg); Andrew Syred (bg). **26–27 Alamy Images:** Keith Van-Loen (bc). **iStockphoto.com:** Jerry Mcelroy (hc/miroir); Alexey Stiop (b/Tiled floor); Xyno (hc/cadre). **27 Alamy Images:** ClassicStock (xhd). **Corbis:** MedicalRF.com (c). **Getty Images:** Tay Jnr (hd); Ralf Nau (hc). **iStockphoto.com:** Hype Photography (cd); Bradley Mason (cgb); Overprint (cd). **Science Photo Library:** Gustoimages (hg). **28 Getty Images:** Dr. David Phillips (cg). **iStockphoto.com:** 270770 (bg); L. Brinck (bg); Creative Shot (cd); Davincidig (xcg); Brian Pamphilon (xbg); Jon D. Patton (cga); Yuri Shirokov (cd); Vladimir (c). **Science Photo Library:** Martin Dohrn (xcgb); Eye Of Science (bc); Steve Gschmeissner (bd); Andrew Syred (cgb/acariens des follicules). **28–29 Dreamstime.com:** Robert Mizerek (cd). **iStockphoto.com:** Enjoy Industries (tampons de passeport); DJ Gunner (cd). **29 Corbis:** David Scharf / Science Faction (cg). **iStockphoto.com:** Ever (bd); Onceawitkin (cgb/tampon d'immigration); Yuri Shirokov (cb/page rose de passeport); Stokes Design Project (c); J. Webb (cd). **Science Photo Library:** Eye Of Science (cgb); K.H. Kjeldsen (cb); Photo Insolite Realite (xcg). **30–31 Corbis:** Ariel Skelley (h). **iStockphoto.com:** Kirza (h/cadre photo); Christian J. Stewart (b). **31 iStockphoto.com:** Petre Plesea (cd). **32–33 Library:** Steve Gschmeissner (xcd); Manfred Kage (cd). **62–63 iStockphoto.com:** DSGpro (c); Rype Arts (Icônes sur les écrans). **63 iStockphoto.com:** DSGpro (cd) (xcgb). **Science Photo Library:** David M. Phillips / The Population Council (xcg); Dr John Zajicek (cg); Eye Of Science (cda); Steve Gschmeissner (cdb). **64 Dreamstime.com:** Picsfive (cg/papier). **iStockphoto.com:** Stefan Nielsen (cdb); PeJo29 (b). **64–65 Barcroft Media Ltd.:** Karen Norberg (c). **66 Corbis:** Somos (hg); Visuals Unlimited (bg). **Science Photo Library:** Eye Of Science (c); Kent Wood (cd). **66–67 iStockphoto.com:** Fotocrisis (arrière plan). **67 Corbis:** Ale Ventura / PhotoAlto (cb). **Science Photo Library:** BSIP Astier (bd). **68 Alamy Images:** Third cross (bc) (c) (g). **Corbis:** Duncan Smith / Comet (bc/cycliste). **Dreamstime.com:** Nikolay Okhitin (bg). **Science Photo Library:** Arthur Toga / UCLA (ca). **68–69 Alamy Images:** Third cross (b) (c). **Getty Images:** Iconica / Gazimal (h). **69 Corbis:** Edith Held / Fancy (xcda); Image Source (xcdb); Stretch Photography / Blend Images (xcd). **Dreamstime.com:** Roman Borodaev (xcg); Melinda Fawver (cg); X2asompi (c). **Getty Images:** Jeffrey Coolidge (xhd); Image Source (hg); Vera Storman / Riser (bg/grande roue). **70 Alamy Images:** Danny Bird (bc). **Getty Images:** The Image Bank / Jonathan Kirn (hd). **iStockphoto.com:** Miralex (hd/écran). **Science Photo Library:** BSIP VEM (c). **71 Corbis:** Allana Wesley White (bg). **Getty Images:** Halfdark (bg/écran); Photographer's Choice / Stephen Simpson (d). **72 Dreamstime.com:** Rachwal (bd/étuis à lentilles de contact). **Getty Images:** 3D4Medical.com (ca); Brand X Pictures (hc); Laurence Monneret / Stone (cga); Photodisc / Thomas Northcut (xbd/lunettes); Workbook Stock / Robert Llewellyn (cgb/cadre); Dave White (cg/cadre). **73 Getty Images:** 3D4Medical.com (b). **iStockphoto.com:** Marc Fischer (hd); Susan Trigg (hd/cadre). **Science Photo Library:** Ralph Eagle (hg); Jacopin (bg); Omikron (cda). **74 Alamy Images:** Frank Geisler / Medicalpicture (ca). **Getty Images:** Nucleus Medical Art, Inc. (hg). **Science Photo Library:** Steve Gschmeissner (c); Susumu Nishinaga (hd). **74–75 Dreamstime.com:** Николай Григорьев / Grynold (c). **75 Corbis:** Joe McDonald (bd). **Dreamstime.com:** 001001100dt (c). **Getty Images:** Image Source (hd). **iStockphoto.com:** Mike Bentley (c). **76 Science Photo Library:** Mark Miller (c). **76–77 Corbis:** Bloomimage (c). **iStockphoto.com:** Stacey Newman (arrière plan); Skip O'Donnell. **77 Science Photo Library:** Eric Grave (c); Prof. P. Motta / Dept. Of Anatomy / University "La Sapienza", Rome (c). **78 Corbis:** Steve Gschmeissner / Science Photo Library (ca); Moodboard (hc). **Getty Images:** Michael Blann / Digital Vision (hd); Photonica / David Zaitz (g). **Science Photo Library:** Anatomical Travelogue (cda); Prof. P. Motta / Dept. Of Anatomy / University "La Sapienza", Rome (bc) (b). **78–79 Dreamstime.com:** Podius (menu). **79 Dreamstime.com:** Peter Kim. **iStockphoto.com:** Marek Mnich (cd). **80 iStockphoto.com:** Nickilford (bd). **81 Alamy Images:** Frank Geisler / medicalpicture (bc). **Corbis:** Mario Castello / Fancy (cd). **Getty Images:** Tom Grill / Iconica (hc). **Science Photo Library:** Anatomical Travelogue (hc) (c) (ca) (cb). **82 iStockphoto.com:** Nucleus Medical Art.com (cd). **Science Photo Library:** Roger Harris (bg); Zephyr (hg). **82–83 Dreamstime.com:** Marinini (rides); Mtr (éprouvettes). **Science Photo Library:** Anatomical Travelogue (b). **83 Getty Images:** 3D4Medical.com (cg). **Science Photo Library:** Anatomical Travelogue (cga) (cg). **84 Corbis:** Jay Dickman (cda/montagnes russes). **Dreamstime.com:** Jgroup (hd). **iStockphoto.com:** futureimage (hd); Jeff Hower (hd); Paul Mckeown (bg). **Science Photo Library:** John Bavosi (cg); Roger Harris (bg/kidneys) (cd). **84–85 iStockphoto.com:** Dan Moore (arrière plan). **85 Corbis:** Dr. Richard Kessel & Dr. Randy Kardon / Tissues & Organs / Visuals Unlimited (bg); MedicalRF.com (cg) (cga). **Dreamstime.com:** Gabor2100 (hd). **iStockphoto.com:** Jan Doddy (bd). **86–87 Science Photo Library:** Steve Gschmeissner (bd). **88 Corbis:** Dennis Kunkel Microscopy, Inc./Visuals Unlimited (bd). **iStockphoto.com:** Kativ (ca). **Science Photo Library:** Animate4.Com (ca/hémoglobine). **88–89 iStockphoto.com:** Henrik Jonsson (globules rouges). **89 Corbis:** Dennis Kunkel Microscopy, Inc./Visuals Unlimited (bd). **90–91 Alamy Images:** Stuart Kelly. **Science Photo Library:** Grybaz (bc); Jezper (arrière plan); Picturephoto (c/outils). **Getty Images:** 3D4Medical.com (cdb). **92–93 Dreamstime.com:** Frenta (empreintes de doigts); Luminis (b). **iStockphoto.com:** Don Bayley. **93 Alamy Images:** Joachim Lomoth / medicalpicture (bd). **Corbis:** JGI / Blend Images (xcg); Radius Images (cg). **Getty Images:** 3D4Medical.com (c); Car Culture (moteur). **94 Corbis:** MedicalRF.com (hd) (cdb). **iStockphoto.com:** Robert Dant (cda). **94-95 iStockphoto.com:** Adventure_Photo; Nemanja Pesic (sac). **95 Corbis:** MedicalRF.com (cgb) (cdb). **Getty Images:** Darryl Leniuk (cdb); Bryn Lennon (hd); David Young-Wolff (bd). **96–97 Getty Images:** Tetra Images (arrière plan). **97 Getty Images:** Visuals Unlimited (b). **Getty Images:** Kennan Harvey (h). **98–99 iStockphoto.com:** craftvision (arrière plan). **99 Corbis:** JGI / Jamie Grill / Blend Images (cd); MedicalRF.com (hg). **Getty Images:** Michael Krasowitz (bc). **100 Corbis:** Purestock (hg). **iStockphoto.com:** Graffizone (g) (cgb). **Science Photo Library:** CNRI (bg); Sovereign, ISM (bd). **100–101 Getty Images:** Photographer's Choice / Peter Dazeley (cd). **101 Getty Images:** Digital Vision (cd); Photodisc / Flashfilm (hd). **iStockphoto.com:** Graffizone (hg); Geoffrey Holman (hc); Luminis (cdb). **Science Photo Library:** CNRI (bg). **102–103 Dreamstime.com:** Weknow (nappe). **Science Photo Library:** Maximilian Stock Ltd (c). **103 Alamy Images:** Bon Appetit/ Feig (hc). **104 Dreamstime.com:** Alexander Ivanov (hd); Monkey Business Images (cda). **Science Photo Library:** Mark Miller (bd). **104–105 Alamy Images:** CoverSpot (c/intérieur de la bouche). **Getty Images:** Andersen Ross (h). **105 Dreamstime.com:** Nastya81 (hc); Stepan Popov (xbg); Jonathan Souza (bg). **106 Corbis:** MedicalRF.com (cb). **Getty Images:** DK Stock / Christina Kennedy (cda). **106–107 Getty Images:** UpperCut Images (ca). **107 Alamy Images:** Paddy McGuinness (ca). **Corbis:** MedicalRF.com (cd). **Dorling Kindersley:** Denoyer-Geppert (bd). **108 Dreamstime.com:** Michael Flippo (cgb); Photobunny (cd). **Getty Images:** Ralph Hutchings (hc). **iStockphoto.com:** Dial-a-view (bd); MBPHOTO, INC. (hd). **Science Photo Library:** A. Dowsett, Health Protection Agency (cb). **108–109 iStockphoto.com:** Spiderbox Photography Inc. (arrière plan). **109 Dreamstime.com:** Photobunny (cg) (cdb). **iStockphoto.com:** Shantell (hd); Steve Cash Photography (c). **Science Photo Library:** Steve Gschmeissner (cgb); Prof. P. Motta / Dept. Of Anatomy / University "La Sapienza", Rome (c). **110 Science Photo Library:** Brian Evans (cgb); Bo Veisland (cg). **110–111 Getty Images:** Nicholas Rigg (pots en verre). **111 Getty Images:** Camilla Sjodin (cdb). **Science Photo Library:** Alain Pol, ISM (cgb). **112 iStockphoto.com:** Duckycards (h) (bg) (bd) (xhd) (hd). **Science Photo Library:** BSIP, Cavallini James (cda); Eye Of Science (bd); NIBSC (c). **112–113 Corbis:** DeGrie Photo Illustration (arrière plan); Fidelio Photography. **113 iStockphoto.com:** Duckycards (bd) (bd). **Science Photo Library:** Dr. Tony Brain (hg); Eye Of Science (c) (cda); Power and Syred (xbd); David Scharf (bg). **114 Corbis:** Clouds Hill Imaging Ltd. (cd). **Dreamstime.com:** Gummy231 (hd). **iStockphoto.com:** Arena Creative (xcg); Richard Laurence (c); stevedesign.ca (c); Xyno (cb/Barrier). **Science Photo Library:** Steve Gschmeissner (cb); Science Source (cgb). **114–115 Dreamstime.com:** Timurd (h). **iStockphoto.com:** Xyno (c). **115 Corbis:** Photo Quest Ltd/ Science Photo Library (bd). **Dreamstime.com:** Gummy231 (bd). **iStockphoto.com:** Arena Creative (xcd); Richard Laurence (ca); stevedesign.ca (cd); Xyno (cb/arrière). **Science Photo Library:** CNRI (hd); Steve Percival (cd); D. Phillips (cdb); Professors P. Motta & F. Carpino / Univer- Sity "La Sapienza", Rome (cd). **116 National Cancer Institute / U.S. National Institute of Health / www.cancer.gov:** (ca). **116-117 Alamy Images:** StockImages. **117 Corbis:** MedicalRF.com (xcd). **Dreamstime.com:** Karammiri (cd); Ari Sanjaya (bd) (hd). **Science Photo Library:** CNRI (xhd); Dr. P. Marazzi (xhd). **118 Corbis:** David Scharf / Science Faction (cga); Photo Quest Ltd / Science Photo Library (cdb). **Science Photo Library:** Dr Andrejs Liepins (hd). **118–119 iStockphoto.com:** Lisa Valder Photography (arrière plan). **119 Getty Images:** Somos/Veer (cb). **Science Photo Library:** Juergen Berger (cda); Dr Tim Evans (hg). **120 Getty Images:** Blue Jean Images (cgb). **iStockphoto.com:** Juliya Shumskaya (hd). **121 Corbis:** HBSS (cd). **Getty Images:** Wayne H Chasan (cgb); Carlos de Andres (cd); UpperCut Images (bd); Paul Taylor. **122 iStockphoto.com:** 350jb (hd). **122 iStockphoto.com:** ShyMan (xcg). **Press Association Images:** Brian Walker/ AP (cd). **Science Photo Library:** Antonia Reeve (c); Sovereign, ISM (ca). **122–123 Getty Images:** Adam Friedberg. **iStockphoto.com:** Dandanian (boîtes); Fckuen (Pallettes). **123 Dreamstime.com:** Julián Rovagnati (xcdb). **Getty Images:** Kallista Images (cgb). **iStockphoto.com:** GoodMood Photo (cgb/Boxes). **Reuters:** Jason Reed (cd). **Science Photo Library:** James King-Holmes (cb); Professor Miodrag Stojkovic (cg)

Toute autre illustration © Dorling Kindersley
Couverture © Dorling Kindersley